AZUL

Du même auteur :

Le barrio, roman, L'instant même, 2009.

Miguel Almeyda Morales

Azul

roman

traduit de l'espagnol (Pérou)
par Pierrette Richard

L'instant même

Maquette de la couverture : Anne-Marie Jacques
Illustration de la couverture : Miguel Almeyda Morales, *Boléro,* acrylique sur toile,
30 × 40 cm
Photocomposition : CompoMagny enr.

Distribution pour le Québec : Diffusion Dimedia
539, boulevard Lebeau
Montréal (Québec) H4N 1S2

Distribution pour la France : Distribution du Nouveau Monde

Titre original : *Zicario Azul,* sinco Editores, 2005

© Miguel Almeyda Morales
© Pour la traduction française : Les éditions de L'instant même, 2011

L'instant même
865, avenue Moncton
Québec (Québec) G1S 2Y4
info@instantmeme.com
www.instantmeme.com

Dépôt légal – Bibliothèque et Archives nationales du Québec, 2011

**Catalogage avant publication de Bibliothèque et Archives nationales du Québec
et Bibliothèque et Archives Canada**

Almeyda Morales, Miguel
    [Zicario azul. Français]
    Azul
    Traduction de : Zicario azul.
    Suite de : Le barrio.
    Texte en français seulement.

    ISBN 978-2-89502-312-8

    I. Richard, Pierrette, 1943-   . II. Titre. III. Titre : Zicario azul. Français.

PS8601.L67Z4414 2011   C863   C2011-942319-7
PS9601.L67Z4414 2011

L'instant même remercie le Conseil des Arts du Canada, le gouvernement du Canada
(Fonds du livre du Canada), le gouvernement du Québec (Programme de crédit d'impôt
pour l'édition de livres – Gestion SODEC) et la Société de développement des entreprises
culturelles du Québec.

La traductrice reconnaît l'assistance du Centre International de Traduction Littéraire de
Banff au Banff Centre, à Banff, en Alberta, Canada, en juin 2010.

À mon père

À mon ami César Morales
mort subitement
sans en avoir demandé la permission

À tous ceux qui sont partis et qui vivent en moi

Un homme joyeux
est un homme de plus
dans le chœur des hommes joyeux

Un homme triste ne ressemble
à aucun autre
homme triste

Mario BENEDETTI.

On ne devient point cruel parce qu'on est bourreau ;
mais on se fait bourreau, parce qu'on est cruel.

Denis DIDEROT.

Ce fut une merde jusqu'à la fin
Et lorsqu'ils trouvèrent son cadavre
Celui-ci avait encore les yeux grands ouverts
Et n'était plus qu'un pauvre corps
Criblé de balles
La haine du tueur était inépuisable...

— *Un fils de pute ne sera jamais qu'un fils de pute, pensa-t-il à voix haute en écoutant la chanson au rythme de salsa qui relatait l'histoire d'un délinquant assassiné pour l'amour d'une femme.*

Diffusée à plein volume, la mélodie provenait de la maison d'en face. L'une de ses fenêtres, toute grande ouverte, laissait apercevoir un vieil homme en train de danser, ému, dans les bras d'une jolie femme.

Il restait dissimulé dans la pénombre de la chambre. De la main droite, il tenait un chargeur vide pendant que de la gauche, il y glissait lentement des projectiles 9 mm, un à un, comme en un rituel. Lorsqu'il eut terminé de le remplir, il réduisit les boîtes de cartouches en minuscules morceaux et les lança dans la cuvette. Il nettoya ensuite ses armes soigneusement, puis les rangea toutes dans le double-fond rembourré de tissu isolant d'une mallette en cuir. Il mit le dispositif du cadenas en place et cacha la mallette. Il se lava les mains avec un détergent, puis il prit un verre, un glaçon, quelques petites feuilles de menthe fraîche, deux mesures de rhum, un soupçon de sucre, remua le tout énergiquement avec une petite cuiller, prit une gorgée pour en apprécier le goût et alla s'asseoir dans le fauteuil à bascule qui se trouvait sur le balcon. De là, il pouvait apercevoir le Malecón[1] et, un peu plus loin, la mer qui, d'un vert cristallin, sans vagues, s'allongeait tel un drap immense à l'horizon. En dépit du bruit, il tentait de réfléchir, car il avait besoin de trouver un plan qui l'aiderait à survivre, à veiller sur son âme, à défendre son corps fatigué contre le démon de la mort, qui voulait le couvrir de ses ailes.

Il avait été très contrarié lorsque la voix métallique du pilote avait surgi des haut-parleurs pour aviser les passagers que leur vol allait modifier sa trajectoire à cause d'un ouragan.

– Nous devrons effectuer un atterrissage d'urgence à La Havane, annonça-t-il.

« Putain de merde ! Quelle tuile ! Juste au moment où je suis totalement baisé ! » pensa-t-il.

La nature était vraiment en train de perdre le nord. Les petits orages tropicaux de saison prenaient de la force et se transformaient soudain en phénomènes dévastateurs qui anéantissaient des villes entières, laissant sur leur passage la désolation et la mort.

– C'est dû au réchauffement de la planète. Il semblerait que, peu à peu, le climat va changer et que certaines villes côtières vont disparaître, recouvertes par la mer, lui radotait l'homme au visage de savant d'une université du tiers-monde qui, assis à côté de lui, tentait d'engager la conversation.

---

1. Célèbre front de mer de La Havane. *(Toutes les notes sont de la traductrice.)*

Il l'avait regardé avec des yeux qui signifiaient : la ferme, mon vieux, tu dis des conneries. Le pauvre bavard avait accusé réception du message télépathique, choisissant de se taire pour le restant de la manœuvre d'atterrissage.

Il avait attendu quelques heures à l'aéroport au cas où le vol se poursuivrait, et après s'être assuré que celui-ci serait retardé de plus d'une journée, il avait décidé de se rendre en ville et avait cherché un taxi. Joyeux et bavard, le chauffeur lui avait offert de tout : cigarettes, femmes, rumba, rhum et, pour un prix modique, une chambre au cœur de la vieille Havane. Ils s'étaient mis d'accord sur le montant de la course et les modalités de paiement, puis s'étaient dirigés vers la ville en traversant d'immenses champs cultivés. De temps en temps, de petites fermes apparaissaient, entourées de plantes potagères et d'arbres fruitiers. Le soleil tapait, donnant une luminosité toute spéciale à cette fin d'après-midi. Près d'une demi-heure plus tard, après s'être engagés sur une route bordée d'hôpitaux, ils avaient vu défiler une série d'hôtels de luxe. Puis, ils étaient entrés dans la ville, que longeait une promenade large et massive, pour ensuite emprunter une rue étroite truffée de solares[2] *pourvus de grands et larges balcons bourrés de linge mis à sécher. La chaleur de l'après-midi était féroce. Une fois à destination, la tenancière l'avait accueilli comme si elle le connaissait depuis toujours et elle avait mis deux ventilateurs à sa disposition pour l'aider à se garder au frais.*

---

2. Anciennes maisons bourgeoises transformées pour loger des familles. Généralement, chaque famille n'occupe qu'une pièce et les utilitaires sont mis en commun.

Sa chambre était petite, mais propre. Il était si fatigué qu'il s'était endormi dès qu'il s'était allongé sur le lit. Pourtant, il avait très mal dormi, car des cauchemars l'avaient assailli pendant une bonne partie de la nuit.

Le lendemain, il avait profité de la matinée pour aller explorer les environs et découvrir la ville. Au coin de la rue, un grand nombre d'arbres déracinés et un enchevêtrement de câbles tombés lui indiquaient que l'ouragan était bien passé par là et, justement, des groupes de soldats s'affairaient à nettoyer et à élaguer des branches d'arbres, puis à les déposer dans un camion qui ne datait vraiment pas d'hier. Plus loin, il aperçut quelques femmes qui faisaient la queue devant une boulangerie. Juste à côté, il y avait une autre file encore plus longue pour l'autobus. Dans le parc, il avait observé les citadins qui remplissaient des baquets d'eau. L'architecture de la ville semblait plutôt ancienne et certaines maisons étaient vraiment splendides, bien qu'elles aient souffert du passage du temps. Ensuite, il avait marché en direction du port en s'engageant dans une rue nommée Neptuno et avait vu, dès les premiers pâtés de maisons, des citoyens assis devant leur porte en train de prendre le soleil, leur tasse de café à la main. Ils conversaient à voix haute et gesticulaient, riant de tout leur corps ou discutant avec véhémence. Plus loin se trouvaient des commerces, des merceries, une librairie et deux pharmacies. Il avait poursuivi sa marche jusqu'à ce qu'il arrive devant une sorte de palais, flanqué de grands escaliers où, à chaque extrémité, trônaient deux lions de marbre faisant le guet devant une immense porte en bois. Il avait consulté la carte achetée à son ami le chauffeur de taxi. Celle-ci indiquait que c'était là l'édifice du Capitole. Après s'être reposé un moment, assis dans le parc à regarder des enfants jouer, il avait continué son périple dans la même rue jusqu'à ce qu'il aperçoive la mer, qui se profilait au loin. Pressant le pas, il était arrivé au quai, où un immense voilier en bois, toutes voiles déployées, laissait apprécier sa beauté avec orgueil. Au milieu d'un grand tapage, quelques jeunes mousses descendaient la rampe, leur sac sur l'épaule, fêtant déjà leur jour de congé, riant aux éclats et se bousculant.

Puis, il s'était approché de l'embarcadère pour monter à bord d'un traversier qui, pour cinq dollars, l'avait conduit sur une plage. Une fois rendu, il avait cherché un endroit éloigné des baigneurs, afin de profiter du coucher du soleil pendant qu'il se laisserait envahir par la nostalgie. Il avait contemplé une mer d'émeraude, sans vagues, et avait aperçu une barque de pêcheurs qui traversait l'horizon pendant que les couleurs changeaient, passant du rouge incandescent à l'orange, et de l'orange au violet, puis elles s'étaient entremêlées toutes pour venir colorer de tons inimaginables les formes qu'adoptaient les nuages.

Il avait passé un long moment dans le silence du crépuscule, à tenter d'oublier sa situation pour la tranquillité de son esprit. Il cherchait un tout petit peu de paix intérieure après avoir vécu autant de merde.

Il faisait presque nuit lorsque la faim l'avait sorti de ses pensées. Il était revenu au quai, puis avait traversé la grande avenue qui coupait le Malecón. Celui-ci était noir de jeunes, garçons et filles, qui chantaient et jouaient de la guitare tout en trinquant jusqu'à n'en plus pouvoir, à même les bouteilles de rhum qui circulaient dans ce qu'il lui semblait être le plus grand bar au monde. Ensuite, il était entré dans le premier restaurant qu'il avait croisé. On y servait de la cuisine chinoise. L'endroit était *bondé, ce qui lui avait paru bon signe, même s'il avait dû partager la table avec d'autres convives. Il avait mangé tranquillement, prenant tout son temps, savourant le délicieux sauté qu'on lui avait apporté dans un plat en métal et dont le fumet avait embaumé la salle à peine sorti de la cuisine : lanières de poisson et de viande de bœuf accompagnées de légumes verts, le tout cuit légèrement dans une sauce parfumée aux champignons noirs et servi avec un riz frit à la cantonaise.*

Pendant qu'il se délectait de toutes ces saveurs, sa mémoire le transporta dans le village de son enfance. À côté du marché, un Chinois cuisinait à la porte du seul chifa[3] situé sur la place principale, utilisant des poêlons immenses. L'enfant qu'il était alors avait vu avec étonnement le cuisinier lancer en l'air du riz combiné à des morceaux de poulet, de bœuf, d'oignons verts, d'œufs brouillés, de légumes verts, recouverts de sauce soya, et reprendre le tout dans le poêlon sans en échapper un seul grain. Il ne ratait jamais son coup, jusqu'au jour où un cri strident lui avait fait si peur, juste au moment où il venait de lancer en l'air le contenu du poêlon, qu'il lui fut impossible de le rattraper et que la nourriture s'était retrouvée par terre. En se retournant, il avait aperçu le petit garçon qui savourait sa blague en riant à gorge déployée, et il s'était mis à lui courir après, muni d'un long couteau, criant que s'il l'attrapait, il le découperait en petits morceaux. Ils avaient terminé la poursuite en riant aux éclats et c'est à ce moment-là qu'était née l'amitié qui le protégerait, plusieurs années plus tard, car le cuisinier était aussi un lutteur consommé, qui lui avait enseigné les arts martiaux et l'avait aidé

---

3. Restaurant chinois.

à transformer son jeune corps faible en celui d'un homme fort, puis, par la suite, en une arme mortelle.

Pendant qu'il mangeait et se souvenait, un groupe de musiciens fit son entrée dans le restaurant : violon, guitare, cuatro[4] et bongo. Le groupe interpréta quelques-uns des airs célèbres du Buenavista Social Club. Ému, il eut soudain l'envie de danser, de se détendre, de boire un bon rhum et de rire. En entendant « Dos Gardenias », il sentit son âme fondre et le désir lui vint de se trouver une fille à la peau couleur cannelle et aux profonds yeux noirs pour faire l'amour.

Pour terminer son repas, il avait pris un thé au jasmin et, comme le veut la coutume, on lui avait offert un biscuit de la fortune. Il lut le message qu'il renfermait : « La vie appartient à celui qui se réinvente lui-même d'une fois à l'autre. » Son visage s'était illuminé d'un sourire. Après avoir réglé l'addition, il s'était rendu à la salle de bain pour se laver les mains soigneusement et pour se peigner.

En se regardant dans la glace, il avait vu à quel point son visage était émacié et s'était dit qu'il avait vraiment besoin de sommeil. Il était en train de constater que plus rien n'avait d'importance pour lui désormais.

Dans les rues du barrio[5] où il avait vécu son adolescence, il avait appris que, dans les moments de violence, seul le caméléon pouvait survivre, car seul cet animal avait le don de se dissimuler, de passer inaperçu. Il était devenu ce blasé solitaire qui allait

---

4. Petit instrument à quatre cordes populaire au Venezuela, en Colombie, au Mexique et à Porto Rico.
5. Quartier ; bidonville.

d'une chose à l'autre, cherchant, expérimentant, puis ayant trouvé, utilisant cette chose jusqu'à l'usure pour ensuite l'abandonner, sèche ou morte, au bord de la route. Il avait compris qu'il ne devrait jamais se montrer vaincu, même s'il était mal foutu, même s'il souffrait. Toujours, il devrait paraître différent des autres, plus audacieux et plus arrogant, parce qu'il en avait toujours été ainsi, parce qu'il en était encore ainsi et que toujours, il en serait ainsi. Il se rappelait que c'était à force de coups qu'il avait appris que l'intuition et le talent pour le camouflage étaient les seules armes indispensables à sa survie.

De retour à sa chambre dans la vieille Havane, assis au balcon avec un bon verre de rhum à la main, il regardait le ciel étoilé en tentant de situer le peu de constellations qu'il était en mesure de reconnaître. Il se demandait si cet endroit serait celui de son destin ultime. Ironiquement, il croyait qu'il serait beau de mourir au bord de la mer.

Puis, lorsque la nuit se mit à blêmir, il alla à la recherche du sommeil. Il mit la vieille télé en marche, repéra une chaîne de dessins animés et coupa le son. Avant de se coucher, il posa une clochette chinoise près de la porte. Il s'en servait comme d'une alarme. Si quelqu'un tentait d'ouvrir la porte, le tintement lui donnerait le temps de prendre ses armes, de tirer en premier et de poser des questions ensuite. Il glissa donc le Smith & Wesson et deux chargeurs sous son oreiller, à la hauteur de sa main droite. Il se blottit en écoutant le murmure des vagues. Sur l'écran du téléviseur, Coyote tombait dans un ravin. Le pauvre perdait toujours lorsqu'il tentait d'attraper Bip-Bip, le géocoucou coureur des routes. Cette fois-ci, il venait à peine de heurter violemment le sol qu'un grand pan de rocher se détachait d'une falaise et venait à toute vitesse lui écrabouiller le crâne. Cela fit rigoler Maki. Il put enfin s'assoupir...

Un immense tigre du Bengale était en train de le mordre, il lui arrachait un bras et le cri de terreur restait bloqué dans sa gorge. Il sauta hors du lit, prit machinalement le pistolet et le pointa en direction de la porte, tout étourdi par le cauchemar. Soudainement, il s'aperçut dans la glace. Comme si ce n'était pas assez d'échapper aux autres, il lui fallait en plus se méfier de sa propre image. Trempé de sueur, il se demanda combien de temps tout cela allait durer. Combien de temps lui faudrait-il encore attendre ? Quand paierait-il enfin cette dette envers la mort ? Prisonnier de ses fautes, il savait qu'il ne pourrait s'échapper ailleurs que dans un cercueil. De plus, le cauchemar lui indiquait que le cerbère était proche. Bientôt, il se retrouverait forcément face à face avec son assaillant. Et ce dernier ne serait sûrement pas un boucher d'abattoir improvisé puisque lui-même n'avait rien d'une proie facile. Pour l'éliminer, ses ennemis avaient sans aucun doute retenu les services d'un excellent tueur.

– J'étais le meilleur, dit-il dans le silence de la chambre.

Sans l'ombre d'un doute, parmi tous ceux qui s'étaient voués à l'antique métier de tueur à gages, il avait été le champion, jusqu'à ce soir maudit où il avait tout raté. Il avait bel et bien appuyé sur la détente, mais il avait échoué. C'était presque par miracle qu'il s'en était tiré, avant que les gardes du corps du type à abattre ne le criblent de balles. Celui-là, c'était un politicien très influent et sa survie avait provoqué une série de complications, de revanches, de règlements de compte, de morts dans les rues, de cadavres dans les prisons, de suicides, de dénonciations, et même des procès. Quelqu'un avait donc pris le téléphone, avait composé un numéro international et avait concocté un contrat pour éliminer le couillon qui, par son ratage, avait provoqué tout cet imbroglio de merde.

Qui avait donc acheté sa fin ? Combien allait-elle coûter ? Cinquante pourcent dans le compte bancaire et cinquante pourcent lorsque le tueur leur remettrait son cadavre ? Combien de temps mettrait le sicaire à comprendre que sa victime en avait assez, qu'il était fatigué de fuir, qu'il était devenu obsédé, nettoyant ses armes encore et encore ?

Il respira profondément, cherchant à modérer les battements de son cœur pour que, peu à peu, la tension diminue. Il prit ensuite la mallette, la déposa sur le lit et en sortit les armes pour les désamorcer et en disperser les pièces, puis il éteignit la lampe et les réamorça de nouveau dans l'obscurité, ne se fiant qu'à son toucher. C'était là un vieil exercice militaire qui le tranquillisait et l'aidait à tuer le temps.

Enfin, le jour se leva. Il prit une douche, se peigna avec soin et descendit prendre son petit-déjeuner dans la cuisinette de la maison. Comme il payait en dollars, on lui servit un bon repas, composé d'un jus de mangue, de rôties, de confiture de goyave et de café noir. Puis il sortit.

Son cœur sentait que, bientôt, le destin prendrait sa revanche. Il était issu d'une culture violente où les « vrais » hommes tuent celui dont la tête ne leur revient pas alors que les lâches commandent plutôt son exécution. Pour sa part, il avait été trahi de bien mauvaise manière. Sa photo avait été affichée dans les terminus d'autocars, dans les postes d'essence, dans les bars en bordure des routes ; chaque commissariat de police du continent en possédait une copie et offrait cinquante mille dollars pour tout renseignement à propos de sa localisation. Comme la mafia offrait le double de cette récompense pour le débusquer, autant d'argent représentait une grande tentation pour le commun des mortels. Cependant, ici dans cette île, il n'intéressait personne, car absolument personne ne savait qui il était ni qu'il gagnait sa vie comme sicaire de luxe, comme tueur à gages, bref, comme assassin. Ici, les gens avaient bien d'autres préoccupations, vivant dans la crainte quotidienne du monstrueux ennemi qui habitait juste en face. Depuis des dizaines d'années, ce qui était fondamental ici, c'était de survivre au blocus de l'oncle Sam. Avec quelques bons dollars en poche, ce serait sans doute l'endroit idéal pour se cacher. Il pourrait bien vivre, ici, pendant un certain temps, jusqu'à ce que les choses s'arrangent. C'était une idée géniale et il décida qu'il reviendrait. Il lui faudrait d'abord se rendre à Miami pour prendre de l'argent, se trouver des papiers et se créer une nouvelle identité.

La Havane dégageait des odeurs de tabac frais coupé, de parfum de femme, de sueur, de friture de viande de porc, de terre mouillée et de café fraîchement torréfié. La chaleur infernale de midi obligeait les gens à se vêtir très légèrement. Ainsi, les belles filles qui déambulaient sur les trottoirs mouillés par la pluie récemment tombée laissaient voir une bonne partie de leur anatomie, ce qui les rendait très sensuelles, avec ce beau sourire qu'elles affichaient comme une arme puissante et dont elles se servaient pour se faire conduire d'un endroit à un autre par les automobilistes, pour séduire les touristes, entrer les premières dans la file d'attente ou tout simplement pour se faire offrir un cadeau. Ici, tous étaient beaux, sans doute à cause des mélanges qui avaient eu lieu entre Européens et Africains.

La ville regorgeait de parcs où les gens se reposaient à l'ombre des arbres, tels ces immenses fromagers qui les protégeaient et *leur donnaient le temps de jaser, de lire, de regarder, de farnienter avec élégance.*

Les avenues ressemblaient à un défilé de modèles anciens de voitures de collection. Partout dans le monde de tels véhicules valaient une fortune. Ici, ils servaient de taxis collectifs ou au transport des touristes. Par moments, il y en avait tellement que cela lui rappelait les longs métrages de la fin des années cinquante.

Tout en marchant, il apercevait l'image du Che Guevara partout, sur les T-shirts, les affiches, les pièces de monnaie, les médailles, les verres, les livres, l'artisanat ou les porte-clés. Où qu'il aille, il retrouvait la fameuse photo d'Alexander Korda, celle du guerrier au béret basque, avec barbe et cheveux longs, au regard intelligent.

Deux jours semblables avaient filé lentement. Deux jours à connaître des gens, des coutumes, des plats, des idées, une nuit de danse effrénée et un après-midi de sexe savoureux avec une jolie mulâtre qu'il avait rencontrée sur le front de mer. Deux jours pendant lesquels il avait fumé deux cigares, bu cinq bouteilles de rhum, s'était réveillé avec une gueule de bois féroce et où un grand nombre de questions étaient restées sans réponses. Tel était donc le bilan de sa première rencontre avec la fameuse Perle des Antilles et, lorsqu'il reçut l'appel de l'agence l'informant que le problème était réglé et que son vol partirait dans l'après-midi, il en fut bien attristé.

Après à peine une heure de voyage, l'avion se posa en douceur sur la gigantesque piste de l'aérogare moderne. Lorsqu'il se présenta à la douane, il se retrouva entouré d'hommes aux chemises bariolées et à la bedaine impressionnante. À leurs côtés se tenaient des enfants qui ressemblaient à des baleineaux tant ils étaient gavés de tonnes de cochonneries riches en calories. Ces hommes étaient accompagnés de femmes peinturlurées, aux cheveux teints en blond, vêtues comme si elles se rendaient au gymnase pour faire leurs exercices alors que le plus gros exercice qu'elles avaient à faire dans la vie était de s'amuser au lit en simulant leurs orgasmes ou d'activer leurs mandibules en papotant interminablement sur l'efficacité du nouveau réducteur de poids ou sur les avantages de la liposuccion. Non, cela n'était pas un cauchemar ni une hallucination, c'était seulement qu'il venait d'arriver à l'aéroport de Miami, où le dicton suivant se vérifiait parfaitement : « Le mariage commence par un prince qui danse avec une reine et se termine avec un chauve qui hurle après une obèse. » Les milliers de chauves et d'obèses qui transitaient par ici le lui confirmaient. Les familles éléphantesques rentraient probablement d'une visite dans leurs pays d'origine, où elles se rendaient à chaque période de vacances pour vanter les vertus du rêve américain à leurs parents et amis beaucoup moins bien nantis.

Il prit un taxi et, une fois à destination, il descendit et se dissimula derrière les arbres. Il resta là un bon moment à attendre, tout en surveillant la porte de verre, et, lorsqu'il n'y eut plus de clients, il fit irruption dans le salon de coiffure. Tout de suite il aperçut Claude, un peu vieilli mais toujours aussi bien portant. Surpris, le blond le regarda, l'étreignit et lui donna une bise sonore sur la joue.

— Negrito, je te croyais déjà sous terre.

— Pas encore, non.

— Qu'est-ce que tu fais ici ? Tu sais que tu es recherché ?

– *Je le sais, oui, mais j'ai besoin de ton aide. Change-moi le visage, les cheveux, tout. J'ai besoin de temps, juste d'un peu de temps.*

– *Fait accompli, cher ange, tu es venu au bon moment, lui dit le coiffeur en l'emmenant derrière les rideaux.*

Pendant qu'on lui lavait les cheveux, Maki s'assoupit ; il aimait bien les massages à la tête, c'était l'un de ses plaisirs favoris.

Stimulés par le massage, ses souvenirs le ramenèrent dans la salle de billard où, il y avait longtemps, cette histoire avait commencé. Il évoqua son groupe d'amis et se remémora leurs visages, leur manière de marcher et de se vêtir. Il y avait de tout parmi eux, depuis le rigolo typique arborant des chemises aux imprimés de perroquets et de palmiers, chaînes en or au cou et bracelet en argent au poignet, jusqu'au petit gros sympa qui portait un chandail de collégien à col en V de couleur gris souris et des chaussures bien lustrées. Pour sa part, le chef de la bande était un véritable requin de la queue de billard. On l'appelait le vilain Métis. Un parfait crétin. Il s'arrangeait pour que son rival gagne une ou deux parties et, par la suite, il le brisait avec une froideur toute mathématique. Il se trouvait toujours, dans le barrio, *un ingénu ou un parfait imbécile tout disposé à flamber son argent.*

Le local était petit. La table de billard se trouvait au beau milieu, et le bar, près de l'entrée. Au cours des soirées d'été, la Bella venait s'y asseoir, bien campée sur l'un des tabourets. Elle ressemblait à un fantasme tout droit sorti d'une revue pour machos, mais elle existait bel et bien. Elle portait des minijupes qui lui collaient au corps et laissaient voir ses rondeurs. C'était une belle brune aux yeux en amande couleur café, aux lèvres charnues, aux dents blanches et régulières comme un collier de perles, aux cheveux d'un noir de jais longs et raides, et dont le nombril découvert s'ornait d'un anneau. L'ensemble était magnifiquement supporté par une paire de jambes puissantes, qui allaient se perdre dans un fort joli derrière en forme de pomme. Elle avait si bien réussi à faire la conquête des jeunes de son âge que la plupart d'entre eux auraient fait n'importe quoi pour un sourire ou un coquet regard d'approbation. Rien n'est plus dangereux qu'une femme qui se sait désirée, qui s'amuse à manipuler tout le monde à tort et à travers.

Le soir où toute cette histoire avait commencé, la bande s'était réunie pour jouer quelques parties de billard tout en savourant un bon pisco. À un moment donné, Roberto, le propriétaire des lieux, s'était approché.

— J'ai quelque chose à te proposer, lui avait-il dit.

Roberto avait été son meilleur ami pendant l'adolescence. Par un vrai beau jour de chance, il était parti vivre au Canada et personne n'avait jamais réussi à savoir où, ni avec qui. Quelques années plus tard, il était revenu les poches bourrées de billets, des chaînes en or au cou, se comportant comme s'il était le maître du monde. À cette époque plutôt sombre, la corruption envahissait le pays, les lois avaient un prix, les gens en avaient un autre et les fortunes surgissaient du néant. Comme c'était la peur qui dominait la vie quotidienne, personne ne posait jamais de questions. Ce qui était certain, c'était que Robert, comme il aimait se faire appeler, trempait dans de grosses affaires, comme le commerce de la drogue, la prostitution ou le trafic d'armes. Il était envié de tous et pour tout, tant pour sa garde-robe, sa voiture, ses bottes de cuir ou sa moto que pour les jolies femmes qui l'accompagnaient. Il s'était acheté un manoir à La Molina, le quartier des nouveaux riches liméniens, et il y avait installé sa sainte maman. Quant à la Bella, sa sœur cadette, elle avait refusé d'aller vivre dans ce quartier de parvenus et, après une scène terrible, elle était restée chez elle. Elle avait ouvert un salon de beauté et fait construire un appartement moderne au deuxième étage, où elle s'était installée, enchantée de la vie.

Le nouveau riche avait mis bien peu de temps à se convertir en propriétaire du barrio, *car l'argent représentait le pouvoir et le pouvoir, c'était l'argent. Il avait donc fait l'acquisition de maisons, de commerces et de ce billard, auquel il avait apporté quelques modifications. Dans la partie arrière, il s'était aménagé un bureau très semblable à celui de Vito Corleone dans le film* Le Parrain *et, lorsque quelqu'un venait lui demander son aide ou monter une combine, il l'attendait, assis dans un fauteuil en cuir, derrière le bureau en bois massif, comme s'il était Marlon Brando en personne. C'était donc là que Maki avait suivi Roberto pour continuer leur conversation.*

— Écoute, je n'irai pas par quatre chemins. Ici, tu n'as aucune chance de faire quelque chose de bon, mais par contre, j'ai des amis qui s'intéressent à ton passé et qui voudraient que tu travailles pour eux, lui avait dit Roberto.

— Tu parles de quoi, au juste ?

— Du service militaire. De ton service militaire, plus parti- culièrement.

— Ah non, je ne veux pas parler de ça, répliqua Maki en se levant pour partir.

– *Assieds-toi, mon vieux, et tâche au moins de m'écouter. Ma folle de sœur en prend toute une tasse pour toi et la seule façon que j'ai de la faire partir d'ici, c'est de m'arranger pour que tu partes, toi, le premier.*

– *Ah... ce n'est pas pour moi, c'est pour ta sœur.*

– *C'est pour les deux. Fais pas chier.*

– *OK, OK. C'est quoi, alors ?*

– *L'entraînement militaire que tu as reçu dans les commandos de la division des parachutistes.*

– *Mais, comment es-tu au courant de ça, bordel de merde ?*

– *J'ai mes sources. Ici, il n'y a pas de secrets, mon vieux. Je sais aussi que tu as été le meilleur soldat de ton bataillon pendant les quatre années que tu as passées dans l'armée. Un vrai héro de guerre avec médaille au mérite.*

Un long silence s'installa entre eux. Ils se regardèrent et se toisèrent en terminant lentement leur consommation.

– *Ne t'inquiète pas. Comme tu es bon dans ça, ils sont prêts à te payer un tas de fric.*

– *Mais de quoi tu parles, au juste, merde ?* avait dit Maki, très contrarié.

Alors Roberto avait lâché le paquet. Maki irait au Canada, à Montréal, pour reprendre son entraînement militaire dans un endroit spécial. Après, il devrait mettre à jour ses connaissances sur les nouvelles technologies et sur les armes de précision. Puis, il travaillerait dans un commando clandestin, un travail facile et très bien payé. Roberto y avait mis une seule condition : que sa sœur parte avec lui.

Pensif, Maki s'était dirigé vers le bar et y avait pris une bouteille du meilleur pisco du monde, le Biondi, fait à partir de raisin Italia. *Il l'avait débouchée et en avait aspiré l'arôme comme s'il s'agissait d'un parfum. Il avait pris un grand verre, deux glaçons, une petite bouteille d'eau gazeuse blanche, une tranche de citron et s'était concocté un bon* chilcano *pour se donner du temps, pour réfléchir, pour prendre la décision qui allait changer non seulement sa vie, mais aussi celle de la Bella, pour toujours.*

— J'accepte, avait-il dit finalement. Mais je veux partir dès que possible.

Il avait décidé de saisir l'occasion, car de toute manière, il n'avait rien à perdre. De plus, il avait toujours été téméraire. N'avait-il pas été cet enfant solitaire qui vagabondait tout seul dans les rues de la ville ? Jamais il n'avait protégé son corps contre la souffrance, la douleur ou l'aventure. Lorsqu'il s'était rendu compte un jour qu'il craignait l'obscurité, il s'était enfermé dans la penderie, bravant les cucarachas *qui lui marchaient sur le corps. C'était ainsi qu'il avait vaincu sa peur des lieux sombres. Puis, lorsqu'il avait compris à quel point il redoutait la mer, il s'était lancé dans l'océan glacé, arrimé à une longue corde reliée à un ballon pour se maintenir à flot. C'était ainsi qu'il avait appris à nager.*

— J'accepte, mais ça doit se faire d'ici deux ou trois jours au max, avait-il redit à Roberto en lui remettant le verre à moitié plein.

— Alors tu partiras dans la nuit de lundi. Je m'occupe des visas et des billets, avait répondu Roberto, en mettant un terme à la conversation.

Lorsqu'il était sorti du bar, la lune illuminait les rues du barrio. *Il s'était dirigé vers l'avenue principale. Il avait grandement besoin de marcher afin de mettre de l'ordre dans le labyrinthe qui lui tenait lieu de cerveau. C'était vendredi, les gens devaient donc se trouver à la discothèque. C'était ainsi que l'on nommait l'endroit, avec une assez bonne dose de prétention, puisque ce n'était là qu'un grand terrain découvert, entouré de quelques hauts murs et illuminé seulement par les ampoules colorées des petits réflecteurs. Il avait traversé lentement le quadrilatère, avait fait deux fois le tour du pâté de maisons, s'était acheté un cigare au dépanneur, l'avait fumé et s'était dirigé vers la discothèque. Il y avait beaucoup de monde dehors, attendant un invité, rassemblant l'argent pour payer le billet d'entrée, prenant une consommation pour se réchauffer ou flânant tout simplement.*

Le portier, Pipilitonga, son copain chinois, lui avait ouvert la porte dès qu'il l'avait aperçu. Il lui administra une bonne claque dans le dos.

– Raconte, mon frère. Qu'est-ce que tu deviens ? Tu as une tête d'enterrement, lui avait-il dit...

Une fois à l'intérieur, il avait reconnu la chanson qui tonitruait :

> *Après avoir aimé tout entière*
> *ta peau de porcelaine*
> *je restai de tous mes sens en attente*
> *dans ton étreinte*
> *j'oubliai mes douleurs*
> *ô mortel abandon*
> *là où j'ai voulu éviter*
> *mon destin sanguinaire*
> *moi assassin des pauvres*
> *brebis égarées*
> *passions de mensonge*

mensonges de passion
je ne peux me renier
mais je les vois tous
les amants de ta couche
mon châtiment
c'est d'accepter le jeu
même si je ne suis qu'un de plus
parmi ceux qui recueillent tes désirs.

Il s'était promené un peu pour voir et pour être vu, puis il s'était dirigé vers la piste de danse. Il avait besoin de sentir son corps, de danser pour faire catharsis. Tout de suite, il avait vu la Bella, en train de danser au centre de la piste. Il s'était rapproché d'elle, lui avait fait la bise avec tendresse et avait perçu le relent âcre du rhum. Il l'avait regardée dans les yeux, se rendant compte qu'elle était totalement ivre.

— Putain de merde ! Tu as encore bu ! Quand vas-tu donc apprendre à te contrôler, lui avait-il dit, contrarié.

— Salut, beau gars. Écoute, il y a des jeunes qui sont en train de m'emmerder, alors aide-moi. J'ai vraiment trop bu. Si tu ne me ramènes pas chez moi, je sens que je vais faire un scandale, lui avait rétorqué la Bella.

Il l'avait donc prise par la taille pour la conduire vers la porte arrière. Il fallait qu'ils s'en aillent au plus vite, avant que ses démons n'explosent. Ana María Torres, la Bella, était terrible lorsqu'elle se déchaînait et devenait agressive, violente, hautaine. Vraiment chiante, quoi ! Elle l'avait entraîné dans plus d'une pagaille.

Ils avaient marché vers l'avenue principale pour trouver un transport et c'est à ce moment-là qu'il avait aperçu des types, *aux aguets entre les* chozas[6]. *Ils venaient pour la femme. Ils la voulaient, tels des loups lascifs. Ils allaient sûrement l'éliminer, lui, en premier. Quant à elle, ils allaient se la farcir ensuite sans vergogne.*

Au milieu de l'obscurité, il avait essayé de voir les ombres qui bougeaient rapidement en refermant le cercle autour d'eux.

« Ils sont trois. Sûrement un peu soûls, c'est clair », avait-il spéculé pendant qu'il se dirigeait vers le milieu de la chaussée, où l'affrontement pourrait avoir lieu plus facilement. Il distillait l'adrénaline et son cerveau se remplissait de chocs électriques qui dictaient des ordres à ses muscles : prise en charge des émotions, concentration, contrôle.

Il avait palpé les poches arrière de son pantalon. Dans celle de droite, il avait senti le manche de son couteau pliant automatique. Il avait respiré profondément, l'avait ouvert, avait stratégiquement placé la pointe de la lame entre son index et son majeur. Il avait regardé le ciel et avait caressé le tatouage du guerrier Mochica qu'il portait au bras gauche pour se rappeler ses origines et son courage. Puis, il avait finalement convoqué ses démons, qui étaient venus lui prêter main-forte, violents et euphoriques, excités par le sacrifice du sang qui s'annonçait.

L'un des jeunes s'était approché de lui en criant :

– Hé, enculé, lâche la fille et fous le camp !

Il s'était lancé sur eux et les avait pris par surprise car, dans leur logique à la Quijote, c'était lui-même qui aurait dû se sauver en courant, terrifié. Maki avait bien assimilé un des principes fondamentaux de la bonne rixe : l'attaque est la meilleure défense.

---

6. Cabanes faites de lattes de jonc et au toit de chaume.

Les pauvres n'avaient même pas eu le temps de comprendre ce qu'il leur arrivait, car, agile et véloce, il leur en avait donné pour leur compte, avec une froideur toute calculée. Le premier, il lui avait balafré le visage. Le deuxième, il lui avait sectionné le tendon d'une jambe. Le troisième avait commencé par apercevoir une ombre s'étirer à côté de lui et s'était rendu compte avec stupeur que toute une partie de son abdomen était en train de s'ouvrir pendant que son sang giclait en tachant le sable.

Les trois hommes se lamentaient, hurlant leur douleur. Une fois l'obstacle éliminé, Maki avait pris la Bella sur son dos. En chemin, il avait essayé de se calmer, car l'adrénaline le rendait euphorique et il ressentait un mélange bizarre de peur et de plaisir.

Finalement, il était arrivé à l'appartement, avait ouvert la porte avec difficulté, avait monté les marches et avait pénétré dans la chambre où Ana María vivait. Il l'avait déshabillée et couchée. Il lui faudrait attendre qu'elle ait cuvé son vin pour lui faire part de la conversation qu'il avait tenue avec son frère. Nue sur le lit, avec le halo de la lune réfléchi sur son corps, elle était si jolie que son désir s'était réveillé, mais il savait que c'était inutile, car ces passions-là n'étaient pas permises entre eux. L'entente était tacite et tout ce qu'ils pouvaient partager, c'étaient les bises, les étreintes, bref la tendresse et compagnie.

Plus tard, il avait pris une douche pour enlever la terre encore collée à son corps à la suite de la bagarre, puis il s'était couché et s'était endormi en contemplant la Bella. Il avait rêvé de la mer. Il avait rêvé qu'ils s'embrassaient. Il avait vu leurs deux corps nus dans l'eau. Ils couraient en riant, en jouant, puis il la poussait et elle tombait sur le dos. La lune illuminait l'image de son sexe entrouvert, où des gouttelettes brillaient entre ses poils ; il s'approchait en humant, en se remplissant de cette odeur qui l'enivrait. Il cherchait les petites lèvres, les caressait et ensuite, avec beaucoup de tendresse, il allait vers le bouton. Elle gémissait. La langue courait d'un côté et de l'autre, de haut jusqu'en bas, entremêlant sa salive avec les fluides qui commençaient à l'inonder. Il la voyait se raidir, joindre les jambes fortement, respirer plus fort pendant qu'il suçait, léchait, mordillait, tétait avec un rythme soutenu, jusqu'à ce qu'elle explose. De tels fantasmes étaient justement ceux qui l'aideraient à survivre lorsque la vie deviendrait beaucoup plus violente...

* * *

Le Colorado, manuscrit en main, lisait à voix haute, ému, arpentant la chambre ou s'assoyant sur le rebord de la fenêtre de la maison de repos. Enfoui sous les couvertures en dépit de la chaleur, Ángel écoutait attentivement depuis son lit. Dans un coin, assise confortablement dans un grand fauteuil de cuir marron, Ángela observait la scène, repensant à tout ce que ces deux-là avaient vécu ensemble. Ils s'étaient connus très jeunes, dans l'immense désert où leurs parents les avaient emmenés dans l'espoir d'une vie meilleure. Ils avaient partagé les jeux et le foot, ils étaient allés à l'école ensemble, assis sur les briques qui leur avaient servi de premiers pupitres.

Il s'appelait Rafael, mais quand les autres enfants l'avaient vu pour la première fois, avec ses cheveux châtains ébouriffés et son visage rouge brûlé par le soleil qui contrastait tant avec leur propre peau cuivrée et bronzée, ils l'avaient surnommé le Colorado. Ce surnom lui resterait à jamais. Il était devenu le meilleur élève de la classe, le plus appliqué, celui qui connaissait toutes les réponses. Il était si bon qu'il plaisait bien aux professeurs. En revanche, Ángel était un rebelle sans cause, un malappris, un folâtre, et pour cela il était presque toujours puni. Les deux garçons vivaient condamnés à la solitude parce qu'ils étaient très différents de la masse, si bien que, sans s'en rendre compte, ils en étaient venus à former une sorte de société secrète où l'un deux apportait la connaissance, la culture et la curiosité d'apprendre et l'autre, les coups pendables, le talent pour se défendre et la capacité de survivre au quotidien. Ils étaient devenus des compagnons d'aventure et d'espiègleries, qui échangeaient de longues réflexions aussi bien que des conneries. Puis, ils avaient évolué ensemble, flânant en ville, passant leurs soirées dans les cinémas pour voir en primeur les bons comme les mauvais films, ou lisant de la poésie, des contes et des romans extraordinaires. Ils chantaient en s'accompagnant sur une vieille guitare, fumaient des joints de mari, s'enivraient au *pisco* à un sol la bouteille ou jouaient d'interminables parties de foot, s'amourachaient d'autant de filles qu'ils en croisaient en chemin, et se gavaient de politique, l'une des activités principales dans le *barrio*. Ils étaient devenus des athées impénitents, des militants de la gauche, puis tout naturellement des révolutionnaires. Ils avaient vécu ensemble les meilleurs moments de leur vie.

Pendant que défilaient tous ces souvenirs, Ángela regardait avec tristesse en direction du lit où l'homme était étendu, épuisé par la douleur ; elle en ressentait une peine profonde. Puis, elle se posa la question fatale, c'est-à-dire celle que tout le monde se pose lorsque les années passent et que l'on vieillit : « Comment ai-je pu l'aimer autant ? »

Ángel luttait solitairement contre la dépression qui l'habitait depuis toujours. Il s'enivrait, et après quelques mois cessait de boire pour revenir à la normale, mais les attaques d'anxiété, qui lui faisaient perdre tout bon sens, se répétaient plus fréquemment. Il en venait donc, soûl et à moitié nu, à crier dans les rues, vociférant contre tout et contre tous.

Un jour, au milieu des attentats et des assassinats sélectifs, le Colorado avait décidé de s'exiler dans un froid pays d'Europe au lieu de mourir aux mains des terroristes. Ángela avait fait de même un an après, son amour ne pouvant plus supporter l'instabilité de son conjoint, de son pays et de sa propre vie. Elle était partie à la recherche d'un lieu où elle pourrait recommencer sa vie. Comme tous les immigrants, elle avait vécu mille et une aventures. Elle avait trimé très dur pour mériter la reconnaissance et le respect des étrangers. Puis, un jour qu'elle flânait dans Paris après avoir beaucoup voyagé, un de ces détours du destin lui fit retrouver le Colorado, ivre de nostalgie au beau milieu d'une fiesta. Après les étreintes et les baisers de mise, ils étaient allés se promener au bord de la Seine pour se raconter toutes leurs aventures, leurs années de séparation et le temps qui avait fui. Ils avaient pleuré, mais avaient aussi chanté les vieilles chansons de toujours, y compris les plus révolutionnaires. C'est ainsi qu'ils avaient recommencé à partager leurs histoires, leurs légendes et leurs souvenirs. Par la suite, ils avaient fait des milliers de plans dans le but de rentrer au pays. C'était leur secret, leur rêve.

En dépit de leur statut actuel d'homme et de femme mariés, parents de jeunes *gringos,* ils croyaient pouvoir un jour se retrouver tous les trois ensemble à nouveau. Ils souhaitaient que le pauvre Ángel quitte définitivement le *barrio,* cette vie qui l'opprimait, et la compagnie constante de la folie. Ils voulaient l'emmener vers ces lares si différents. Peut-être qu'ainsi, il arriverait à guérir.

Le Colorado se tut, debout devant la fenêtre, regardant la plage où les vagues éclataient avec furie.

– Qu'est-ce que tu en dis ? demanda-t-il en sortant de ses pensées.

– Au poil, mon vieux, répondit Ángel, obnubilé par l'histoire qu'il était en train d'écouter. J'essaie de m'imaginer tout ce que tu racontes, mais n'arrête pas, continue mon vieux, continue à lire, je t'en prie…

* * *

Le persécuteur venait du même pays, de la même capitale aux millions d'habitants, mais d'un autre barrio, *plus ancien et plus traditionnel, quoique tout aussi pauvre. Il avait déjà eu un nom, comme Lucho, Fernando, Marco ou quelque chose de semblable. Pourtant, tout le monde le surnommait Azul. Au moment de son adolescence, il avait en effet été le meneur des fans d'une équipe de foot très populaire qui portait ce nom. Avec le temps, frustré par de nombreuses défaites, il avait envoyé promener ce sport à la con et tout ce qui le liait à ses partisans acharnés et trop disposés au vandalisme. Il avait tout de même conservé le surnom, qu'il aimait parce qu'il lui rappelait la couleur du froid et de la solitude.*

Élevé par une mère dominante et violente, Azul avait grandi en se tournant vers l'introspection. Son père avait résisté stoïquement au mariage jusqu'à ce qu'un matin d'hiver, il capitule, faisant ce que tous font lorsque le problème n'a plus de solution, c'est-à-dire le fuir. Le vieux s'était pendu à une poutre dans son propre atelier de mécanique où, avec une sainte patience, il lui avait enseigné à monter et démonter des autos. Devant un exemple aussi accablant, jaugeant l'avenir qui l'attendait, Azul avait pris peur, car il avait lu quelque part que les jeunes ont tendance à imiter le comportement de leurs parents. Pour se libérer d'une peine qu'il ne méritait pas, il avait pris ses affaires et avait quitté la maison.

Azul avait erré dans le pays ; il avait été cueilleur de feuilles de coca au milieu de la jungle, joueur de foot dans la sierra, charpentier, garçon de table dans un bar minable, mécanicien routier, poseur de pneus, chanteur de boléros dans les tavernes de la côte où les pêcheurs d'anchois allumaient leurs cigarillos avec des gros billets, guide touristique sur les sentiers de l'Inca, escorte pour femmes mûres dans les discothèques, comédien dans une troupe de théâtre de rue, boxeur, bref tout genre de travail qui pouvait lui rapporter quelque argent. Après avoir beaucoup voyagé, il avait rencontré, par un matin d'avril, une fille belle et intelligente ; il en était devenu amoureux et avait enfin connu le bonheur.

Cependant, pour les pauvres, les déracinés ou les révoltés de ce monde, le bonheur ne dure que le temps d'un tour dans les montagnes russes. Et c'est bien celle-là, la peine qui nous poursuit, c'est bien celui-là, le stigmate du temps, c'est-à-dire jamais grand-chose de bon ! Tout avait fini par s'écrouler au beau milieu d'une fusillade confuse et la mort, qui était venue le chercher, lui, pour le conduire au cimetière, avait commis une grave erreur et l'avait emportée, elle, transformant ses espoirs en merde et réveillant la soif de vengeance qui habitait son cœur. Il avait alors décidé de se faire justice lui-même et il était allé se perdre dans les labyrinthes de la haine en noyant son âme dans les drogues et l'alcool jusqu'à ce qu'un jour, se regardant dans la glace brisée de la maison abandonnée où il dormait, l'avenir qui l'attendait lui avait été révélé sous la forme d'une fin indigne, à ramper parmi les immondices. Il avait décidé de réagir, de retrouver son bon sens, de se sortir du trou et, en cherchant la revanche, il s'était découvert une nouvelle vocation. Il s'était converti lui-même en un démon de la mort qui, pour une bonne somme, pouvait se charger de supprimer, d'éliminer, d'achever, de trucider, d'exfolier ou de faire disparaître n'importe qui, mais toujours et seulement à la condition expresse que le malheureux l'ait mérité.

Peu à peu, il s'était fait connaître dans le métier. Un jour, il avait quitté son pays pour aller exécuter des commandes pour des mafieux d'envergure. La Colombie avait été sa première destination, ensuite les États-Unis, et puis après, le monde entier.

Or, les humains sont des êtres d'habitudes, de coutumes enracinées, et ils reviennent toujours à la source en dépit de tout. Azul ne faisait pas exception à la règle. Quand arrivait le mois d'octobre, il revenait à Lima pour déposer des fleurs sur la tombe de la seule femme qu'il ait aimée, pour visiter la ville, pour voir sa vieille mère et pour retrouver le saint protecteur grâce à qui, d'après ses croyances, il avait la chance d'être encore vivant.

À la porte du cimetière, il achetait une gerbe de roses rouges, y glissait une orchidée, sa fleur préférée, et allait ensuite nettoyer la pierre tombale. *Il passait une heure à se souvenir, renouvelant le serment de vengeance qui toujours habitait son âme. Après ce rituel, il retrouvait la procession du saint patron au centre de la ville. L'icône du* Señor de los Milagros[7] *se déplaçait rythmiquement, portée par une équipe d'hommes vêtus de violet, au milieu de milliers de fervents qui marchaient en priant, lui demandant une faveur pour eux ou leurs êtres chers. Tous se poussaient et se bousculaient. Certains allaient pieds nus, d'autres marchaient sur les genoux, offrant leur douleur en sacrifice. Plusieurs pleuraient, sentant qu'ils aimaient quelqu'un et que ce quelqu'un, là-haut dans le ciel, les aimait aussi, parce qu'ici sur la terre, ils étaient les derniers de la file, les misérables, les exclus. L'odeur de l'encens donnait aux rues une atmosphère mystique. Le tapage ambiant provenait du mélange des cris des vendeurs de touron offrant leur marchandise, chacun équipé d'un petit haut-parleur à piles, et des différentes fanfares postées aux coins des rues ou sur le trajet de la procession.*

Se laissant porter par la marée humaine, Azul se faufilait parmi les groupes de transporteurs qui venaient d'accomplir leur promesse de lever la tonne et demie que pesaient l'icône et son écrin, trempés de sueur et épuisés, mais heureux. Peu à peu, il se dirigeait vers le cœur de la procession.

Un jour, un pickpocket s'était aventuré à mettre la main dans l'une de ses poches, celle-là même où il cachait le Sigma 9 mm de Smith & Wesson, son arme préférée. Le pauvre voleur à la gomme

---

7. Chaque année, en octobre, Lima célèbre le *Señor de los Milagros* (le Seigneur des miracles). Une représentation du Christ en croix est ainsi portée en procession dans la ville.

avait touché le canon du pistolet et avait pris peur ; lorsque Azul l'avait saisi par le cou, il s'était mis à chialer, sentant venir sa fin. Mais Azul lui avait glissé à l'oreille :

— T'as de la chance, mon frère, je suis en vacances aujourd'hui.

Le garçon ne s'était pas fait prier pour déguerpir et aller se perdre dans la cohue sans frontières.

Après plusieurs efforts pour s'ouvrir une brèche au milieu des prières et au cri de : «Avancez, mes frères ! » il arrivait enfin jusqu'au cercle des élus. Un groupe de vieilles dames drapées dans leur voile blanc s'égosillaient à chanter des hymnes religieux, faisant compétition à une fanfare gigantesque qui jouait des marches militaires, comme si le saint avait eu besoin de se rappeler que, dans ce pays, c'étaient les militaires qui avaient tous les pouvoirs. Azul se plaçait devant l'effigie et regardait dans les yeux ce visage transpercé de blessures et marqué par la douleur, sentant son cœur se contracter. Il se produisait alors un vide, comme une sorte de halo imaginaire qui les entourait, où seulement tous deux existaient. Il arrivait alors que les larmes refoulées pendant des années venaient s'accumuler dans ses yeux, toutes disposées à couler généreusement. Avec beaucoup d'énergie et comme tout bon macho, il se concentrait pour ne pas pleurer. Pendant un moment, les porteurs s'arrêtaient pour se reposer et les femmes en profitaient pour renouveler l'encens. Un enfant venait déposer des fleurs devant la statue pendant que les musiciens de la fanfare s'échangeaient leurs partitions. Profitant de cet instant précis, Azul venait se placer devant le saint, inclinant la tête avec ferveur comme le font les Orientaux devant leurs dieux. Il ouvrait alors son blouson de cuir et, avec ses deux mains, il offrait rapidement au crucifié tout le contenu dissimulé dans ses poches secrètes.

– Señor de los Milagros, *je te demande de me protéger. Que les balles ne me tuent pas. Que les blessures guérissent rapidement. Que les traîtres ne m'attrapent pas. Que mes armes soient bénies par ta miséricorde. Seigneur, prends soin de ma femme, où qu'elle soit, et prends aussi soin de ma vieille. Merci. Amen.*

Devant l'image se retrouvaient donc le Browning BDA à recul direct de calibre .380, le Beretta 92F, format 9 mm Luger, le minuscule 950 BS de calibre .22 qu'il plaçait dans ses bottes, les Colt jumeaux Delta Elite, calibre 10 mm, qu'il croisait à l'arrière de sa ceinture et d'où ils pouvaient s'extraire facilement et rapidement en cas de besoin. Là également se retrouvaient les chargeurs, les balles 9 mm et quelques Magnum .22, les Winchester Magnum .22, les seules balles pour arme de poing qui transpercent un gilet pare-balles de classe 3, les balles explosives de titane qui laissent seulement un petit orifice de perforation, mais un énorme cratère de sortie, et finalement la Magnum .44, qu'il utilisait pour les parties de chasse importantes, lorsque son client souhaitait quelque chose de spectaculaire.

Après avoir prié pour ses armes, il allait marcher un peu pour se dégager de la fumée de l'encens, puis se rendait ensuite au marché central pour déguster un succulent ceviche, *accompagné d'une bière glacée. Pour lui, chaque geste, chaque visite, chaque action faisait partie d'un rituel.*

Il allait ensuite se promener dans la ville maudite, cette ville pourtant aimée où il avait grandi en flânant dans les rues. Il s'y trouvait comme un poisson dans l'eau, parmi ces millions d'itinérants qui, chaque jour, marchaient sur ses trottoirs : qu'ils soient des passants, des vendeurs, des fous ou des mendiants, tous semblaient indifférents et pourtant, ils étaient tous aussi curieux que le chat dans la chanson de la mère Michel.

À Lima, l'été commençait à peine et pourtant, le soleil égayait déjà le flot gris des passants qui déambulaient en se battant pour attraper les miettes jetées des voitures dernier modèle aux vitres polarisées, à bord desquelles les bien nantis du pays se baladaient.

Pendant que les gens ordinaires se promenaient dans les rues, les impasses, les avenues et les parcs, les travailleurs, les sans-papiers et les milliers de gens qui vivaient de la culture du glandage, sans destination fixe, sans objectif spécifique, sans aucun lieu de départ ni d'arrivée, vagabondaient en espérant qu'il arriverait quelque chose ou que quelqu'un leur laisserait un petit quelque chose, maintenant ou plus tard.

C'était à cette belle ville labyrinthique, languide et abandonnée qu'Azul était revenu, envahi par ses souvenirs. Il y retrouvait ses petits marchés, ses restaurants, ses cabines Internet publiques, ses boutiques de tatouage ou de diagnostic de grossesse, ses salons de massage, ses académies, ses instituts d'informatique, ses magasins à un sol, ses agences de voyage, ses imprimeries, ses saunas, ses auberges, ses hôtels à une étoile ou deux ou trois ou quatre et demie, ses casinos, ses bordels, ses supermarchés, ses salons de beauté, ses cliniques clandestines de chirurgie plastique qui éradiquaient le profil d'autochtone que chacun portait comme une véritable condamnation. Il errait, à l'aise parmi ses commerces de vente aux enchères, ses marchands ambulants, ses tripots de contrebande, ses vendeurs de CD, de DVD ou de vidéos copiés, piratés, illégaux, dans ces rues pleines de jolies filles, si sensuelles et osées, qui souriaient et se mouvaient comme des lionnes enchaînées pour attirer l'attention des hommes et les inviter à entrer avec elles dans l'un de ces centaines de kiosques offrant des repas en passant, des divertissements en passant ou de l'amour en passant, dans ce pays exubérant, qui vivait lui-même en passant.

Lourdement, l'obscurité était tombée ; sur les routes, les fourmis rentraient chez elles et les cigales arrivaient. Au milieu de la pénombre floue, les rues devenaient le territoire des voleurs et des putes. Quant aux stupides, ils devaient être sur leurs gardes, car les profiteurs vivent aux dépens des stupides et ceux-ci, seulement de leur travail. C'était le règne de la peur, de la douleur, de l'agonie et de la mort. La ville sale voyait sortir de leurs cachettes les rejetés, hommes, femmes ou enfants, qui vivaient de la quête, comme les rats, ramassant les déchets et les restants parmi les monceaux d'ordures.

Azul était heureux. Il regardait, humait, écoutait, palpait, savourait et sentait son monde, se rappelant l'époque où son père l'habillait de ses plus beaux vêtements et le coiffait avec de la brillantine pour l'emmener se promener au parc de l'Exposition, au Champ-de-Mars, à l'arène pour assister aux courses de taureaux, au pont des Soupirs ou à la plage de Chorrillos, en marchant, toujours en marchant. Il retrouvait le désordre, le chaos des rues, les bruits, les visages, les odeurs, les saveurs et les couleurs qui lui avaient manqué parce que, quoi qu'on en dise, ce n'était pas une mince affaire que de vivre à l'étranger, en Europe ou en Amérique du Nord, où presque tout est si précis, si propre, si ordonné.

Il était tard déjà lorsqu'il arriva à la foire aux livres usagés, au milieu de la rue Quilca, truffée de bars et de soûlons. Sous la chaleur amollissante de minuit, il entra dans l'impasse des itinérants pour prendre un verre de pisco *à un sol tout en conversant avec les épaves du petit matin.*

Il était revenu pour rendre ses hommages personnels, pour faire prendre l'air à ses souvenirs, mais aussi pour chercher des informations, pour vérifier tous les renseignements disponibles sur un certain jeune, sur cet élève à qui il avait enseigné le jeu de la mort et qui s'était par la suite converti en légende parmi les tueurs à gages. Il avait la putain de tâche de l'éliminer. On l'avait sorti de sa retraite tranquille de la plage Napoléon, là-bas, dans la France lointaine, pour accomplir ce travail. L'intuition lui disait que la meilleure façon de le repérer était de chercher à la source, c'est-à-dire dans la famille, car celle-ci sait toujours où retrouver sa progéniture.

Il s'était parfois questionné sur le sang-froid qui lui permettait d'être un tueur dépourvu de culpabilité ou de remords et un jour, il avait fini par trouver quelques idées sur ce thème dans un bouquin :

« Les études modernes de neuro-imagerie confirment quelques hypothèses qui établissent une certaine corrélation entre, d'une part, le comportement criminel et, d'autre part, certaines anomalies des lobes frontaux et temporaux, ou dans les structures sub-corticales, comme l'amygdale ou l'hippocampe, mettant en évidence que le taux d'activité du cortex préfrontal des assassins impulsifs est deux fois moins important que celui des personnes « normales ». Il semble que ce soit dans cette partie du cortex que réside la capacité de contrôler des actes médiatisés par des structures, comme l'amygdale. Cette structure sub-corticale est reliée à l'agressivité et, dans le cas des assassins, elle présente

un taux d'activité très élevé. On pourrait donc dire que les agissements de ces êtres dénaturés sont provoqués par la trop grande activité de leur amygdale, qui agit indépendamment du contrôle du cortex préfrontal. Des anomalies anatomiques de ce genre ont également été constatées chez de tels individus, par exemple le volume plus réduit de la substance grise préfrontale, ce qui semble plutôt révélateur d'indices sur les aspects purement physiologiques, d'une part, sans toutefois négliger l'importance des facteurs d'origine sociale, d'autre part... »

Dans un premier temps, ces réflexions avaient retenu son attention, sans toutefois lui servir à quoi que ce soit puisqu'elles renvoyaient aux assassins du type impulsif, alors que lui-même était un tueur plutôt conscient de son rôle, entraîné et très professionnel. En fait, il était un vrai caballero qui tuait seulement ceux qui le méritaient : les abuseurs, les violeurs ou les malfaiteurs qui causaient du tort à autrui, mais que la justice ne condamnerait jamais parce que leur argent leur garantissait l'impunité.

Le lendemain, il se leva fatigué. L'alcool et la marche, en plus de ce qu'il avait fait, lui causaient une légère angoisse. Cela le dérangeait d'avoir rompu avec l'une des règles du code d'honneur qu'il s'était imposé afin de marquer la différence entre sa vie personnelle et ce qui le faisait vivre. Il ne devait jamais entrer en relation avec la personne qui allait être éliminée, elle n'était qu'un numéro, une photo, un visage sans passé, sans présent, et évidemment sans avenir puisque, une fois qu'on la lui avait signalée, son temps dans cette vallée de larmes achevait.

En terminant sa promenade en ville, il s'était rendu, à l'aube, dans le barrio où vivait sa mère, plutôt que de s'installer à son *hôtel de toujours. Trouver les garçons avait été un jeu d'enfant, car il les connaissait depuis leur enfance. Bien qu'il en eût ressenti de la peine, il était satisfait du résultat. En effet, dès que le soleil s'était pointé à l'horizon, l'ombre des cinq cadavres pendus au mât principal de l'un des réverbères du parc s'étendait jusqu'au petit terrain de foot. C'était un tableau apocalyptique qui pouvait être vu de n'importe quelle rue principale, depuis les fenêtres des maisons et les toits. Peu à peu, les résidants s'étaient approchés, apeurés, horrifiés. Certains d'entre eux pleuraient. Les mères et les sœurs des victimes y faisaient des scènes de cris déchirants et d'évanouissements pendant que les badauds regardaient, immobiles.*

Le front de chaque cadavre montrait une perforation : Montoya, le chef des Maudits ; Luisin, le chef des Scories ; Sánchez, le plus âgé des frères et chef des Incorruptibles ; Leoncito, le plus petit, reconnu pour sa cruauté, et Mac Pollo, le chef des Piranhas. Un travail propre, précis, professionnel. Les jeunes étaient prêts pour le cercueil, la cérémonie, les pleurs et les adieux. Aux pieds de chaque corps était accroché un carton où leurs délits étaient décrits. Ainsi les citoyens sauraient qui avait cambriolé leur maison, violé leurs filles ou entraîné leurs enfants dans la drogue. Plus tard, un mélange de dégoût et de soulagement accompagnerait les voisins lorsque la police descendrait les corps pour les déposer, un à un, dans la camionnette qui les transporterait à la morgue.

Azul venait d'accomplir la promesse qu'il avait faite à sa vieille mère, qui était fatiguée des bagarres entre gangs de rue, de la drogue qui régnait partout et des drogués qui volaient tout et tout le monde. Lorsque son fils était apparu avec sa corbeille de cadeaux et qu'il lui avait demandé comment elle allait, elle avait répondu lentement, en martelant chacun de ses mots :

— Bien, mon garçon, je vais bien, à part le fait de vivre dans un barrio *de merde !*

— Mais, maman, je te l'ai déjà dit, je pourrais t'emmener vivre ailleurs, tu n'as qu'à me dire où et on y va.

— Non, petit, tu peux bien avoir tout l'argent que tu veux, mais moi, je ne bougerai pas d'ici. Ton père s'est tellement battu pour chaque centimètre carré de cette maison que c'est ici que je reste. C'est ici que je vais mourir.

— Alors, qu'est-ce que je peux faire pour toi ?

— Vas-y donc, va parler à ces jeunes, ils te connaissent, ils te respectent, dis-leur qu'ils aillent voler ailleurs, plus loin là-bas, chez les riches. Des pauvres qui volent des pauvres, quelle horreur ! Ce monde est en train de basculer, c'est une punition de Dieu, tout ça.

Comme toujours, il lui avait obéi. Il les avait cherchés, puis il avait parlé avec chacun des chefs de ces gangs de rue, mais ils ne l'avaient pas écouté. Ils s'étaient moqués de lui, ils s'étaient payé sa tête et avaient même essayé de le voler. C'était de la racaille, sans code d'honneur et sans limites. Ils croyaient que les rues étaient la terre de personne, ils utilisaient la violence et imposaient la terreur.

Il avait alors décidé d'opter pour le chemin le plus sûr, le seul qu'il connaissait et qui offrait la solution idéale puisqu'elle ne permettait aucun retour possible ni discussions subséquentes.

Les cadavres étaient là, muets témoins de la fin de la violence dans le barrio, *pour le moment…*

* * *

Après la cuite démesurée des retrouvailles, Ángela et le Colorado avaient résolu de se voir tous les deux ou trois mois et de passer une fin de semaine ensemble comme des amis, comme des copains ou des compagnons d'aventure. Ils se promenaient, soupaient dans un bon restaurant, puis entraient dans l'un de ces bistros latino-américains qui existent jusque dans les capitales les plus sophistiquées du monde, pour converser au milieu des pleurs des fêtards, qui chantaient à tue-tête des chansons d'amour et de désamour. Déjà un peu pompettes, ils s'unissaient à ces chœurs puis, à trois heures du matin, l'heure de fermeture des bars, ils continuaient leurs discussions en marchant. Ils se perdaient dans les méandres de ces villes de la vieille Europe où, au milieu des édifices modernes, ils découvraient de jolies maisons anciennes, de merveilleux musées, de petites rues pavées, et de magnifiques ponts qui enjambaient majestueusement les fleuves, où ils se rendaient pour accueillir l'aube.

Ils avaient toujours une bonne excuse pour entreprendre un voyage : un spectacle de musique latino-américaine, dans le cas d'Ángela, une rencontre entre écrivains pour le Colorado, dont la carrière s'annonçait prometteuse. Bref, tous les prétextes leur étaient bons afin de permettre ces rencontres avec le passé.

Ils avaient vécu ces rendez-vous paisibles entre amis de longue date jusqu'à ce soir d'été où, dans un moment de silence inspiré, sur une impulsion ou par besoin de tendresse, nul ne saura jamais pourquoi, Ángela embrassa le Colorado sur la bouche, le cherchant avec passion et déchaînant une tempête qui les entraîna tout droit dans une chambre d'hôtel trois étoiles.

Depuis des années, le Colorado portait le poids de la solitude en dépit de la compagnie intermittente d'une Scandinave généreuse, qui l'aimait de l'amour tranquille de celle qui a toujours eu ce qu'elle voulait. Au début, il y avait bien eu de la passion entre eux, mais par la suite, avec l'arrivée des enfants, les responsabilités et les obligations, la vie du couple avait changé complètement et, en dépit de leurs efforts, jamais elle n'était redevenue comme avant.

Il avait alors cherché la passion enfuie dans des amours de passage, dans les yeux d'autres femmes, dans leurs baisers, leurs étreintes, leurs odeurs et leurs saveurs, tentant de retrouver ses élans, pour se prouver que tout n'était pas fini, pour sentir le pouvoir de sa sexualité tout en cherchant à satisfaire ses fantasmes perdus.

Ce qui s'était passé avec Ángela était différent. Il l'aimait et la désirait déjà lorsqu'elle était toute jeune, vierge et inatteignable, bien qu'elle lui fît peur, de cette peur qu'éprouvent tous les hommes face à une femme qui s'affirme, qui pense par elle-même, qui a des plans pour l'avenir et qui sait ce qu'elle veut. Ángela était tout sauf l'une de ces poupées fragiles qui attendent, assises à la porte de chez elles en se limant les ongles, le prince Charmant qui les prendra en charge pour le restant de leur vie, comme cela se passait pour la mère, la sœur, la tante, la grand-mère ou pour toutes celles qui se consacraient corps et âme à leurs enfants, à la cuisine, ou à garder la couche chaude pour leur homme jusqu'à ce que la mort les sépare. Ángela choisirait celui qu'elle aimerait.

Autrefois pourtant, le Colorado n'avait pas été l'élu de son cœur. Ángela s'était éprise d'un autre, et il avait renoncé à elle pour toujours, parce qu'il ne fallait jamais faire des bêtises avec la femme de son propre frère, ou, pire, avec celle de son meilleur ami.

Cependant, maintenant que les années avaient passé en laissant leurs marques sur le corps et dans l'âme, il venait de la retrouver. Ils n'étaient plus ni jeunes ni rêveurs et elle n'était plus la fiancée d'Ángel. Maintenant, ils vivaient concrètement dans ce qui pouvait se réaliser. C'était pourquoi ils avaient désormais l'obligation de profiter des rares opportunités que la vie leur offrait et c'était pourquoi, le soir du baiser furtif, ils s'étaient dénudés avec passion, se touchant, parcourant la forme de leurs corps, humant l'odeur de leurs fluides. Ils avaient fait l'amour avec un mélange de furie et de tendresse, se dévorant encore et encore. Tout en riant, ils se remplissaient d'émotions qu'ils croyaient mortes et enterrées dans les limbes de leur mémoire.

En l'absence de souvenirs, la vie devient fatale, même s'il reste toujours le recours facile de s'inventer un passé pour ensuite croire à ses propres mensonges. En somme, dans le monde idéal, ce sont toujours les autres qui sont les idiots. Au début de leur relation clandestine, ils avaient essayé de penser que ce n'était qu'une passade et qu'ensuite, tout redeviendrait comme avant, avec juste les promenades, les conversations, les rires, leur couple personnel et leurs enfants, puisqu'ils étaient tous deux conscients qu'une aventure se doit d'être éphémère et durer juste assez pour se rappeler que l'on n'est pas un zombie. Or, chaque nouvelle rencontre les avait transportés à des niveaux tels qu'il leur avait été impossible d'en revenir, par la suite.

Lorsqu'ils avaient su que leur ami était en train de mourir, là-bas, seul, triste et abandonné, ils avaient rapidement préparé leur retour et avaient quitté Berlin par une nuit froide, arrivant à la maison de repos bien disposés à l'accompagner dans la dernière tranche de sa vie, ensemble comme toujours.

Dans l'avion qui les ramenait, ils avaient l'air de jeunes mariés. Ils savaient qu'ils ne devaient pas devenir amoureux, mais ils s'illusionnaient au-delà de la raison. Comme deux adolescents, ils s'étaient mis à faire des plans, à chercher des endroits à visiter, des plats à déguster, des gens à rencontrer.

Le Colorado rentrait au pays chargé de rêves, avec ses trois livres publiés et le manuscrit d'un nouveau roman, qu'il lisait à présent avec émotion. Ángel s'efforçait de se concentrer et d'écouter, car le Colorado mettait le meilleur de lui-même dans la lecture du roman. Or, le malade ne pouvait empêcher son esprit de s'évader dans une autre direction. En ce moment, par exemple, il murmurait, comme en une prière :

Je dois connaître le chemin
qui conduit au Léthé
le vieux fleuve de l'oubli
où vont les destinées
de toutes les âmes défuntes
je cherche le silence dans la mémoire
sans souvenirs
et dès lors j'aurai
le sourire heureux
des imbéciles
il y a une partie de soi
qui vit en exil…
une autre
est de passage

> convertie en une pièce du jeu
> entre le temps et la mort
> je me suis rendu compte
> que j'avais besoin
> de l'égarement
> pour comprendre
> que toujours
> nous sommes seuls dans
> cette absurde réalité.

– Je m'en souviens ! cria-t-il.

– Qu'y a-t-il ? dit le Colorado en interrompant sa lecture.

Au même moment, une femme vêtue d'un horrible uniforme rose entra dans la chambre.

– La visite est terminée, monsieur et madame, dit-elle d'une voix pointue.

– Comment ça, la visite est terminée ? Nous avons une permission spéciale du médecin, dit le Colorado.

– Écoutez, monsieur, cette permission était valable quand le patient se trouvait dans le coma. Maintenant, il n'est plus dans le coma, il est lucide, en santé et heureux. Alors, décampez, c'est tout. Retournez chez vous. Désormais, c'est moi qui suis la responsable, la visite est de quatorze à dix-huit heures, une seule personne à la fois. Est-ce clair ? renchérit la femme en élevant le ton.

Debout sur le lit, vêtu d'un vieux pyjama à rayures bleues, dépeigné, pâle et cerné, Ángel interrompit le dialogue en disant :

– Je ne suis pas fou, seulement un peu confus.

Il sortit en courant vers le patio, les laissant perplexes.

– Vous voyez ? Merde ! Vous voyez, là ? C'est à ça que ça sert, les amis ! Des électrochocs, comme avant, voilà ce qu'ils auraient dû lui donner ! C'était beaucoup mieux comme ça ! Et maintenant, qui va me le ramener ? Vous voyez ce que vous avez provoqué ? hurla l'infirmière en regardant le couple.

– Laisse-le se reposer, mon amour, tu as déjà assez lu pour aujourd'hui, allons manger. On reviendra demain, murmura Ángela pour briser la tension.

Le couple sortit de la chambre. Lorsqu'ils atteignirent la porte de l'hôpital, l'écrivain prit une goulée d'air et lança un cri libérateur :

– Vieille folle, salope !

Ils éclatèrent de rire puis, s'abandonnant l'un à l'autre dans une étreinte passionnée, ils s'embrassèrent avec l'avidité du désespoir. Ils montèrent dans la voiture pour se rendre à l'hôtel, situé dans un village presque abandonné, au bord de la route, à quelques minutes de là. Ils entrèrent dans la réception en courant, prirent la clé et firent irruption dans la chambre, à moitié nus et arrachant leurs vêtements. Sans prononcer une parole, Ángela chevaucha son amant, le faisant pénétrer en elle peu à peu ; en lançant un long soupir, elle commença à bouger lentement pour atteindre l'orgasme. En la voyant si jolie, si passionnée, personne n'aurait pu s'imaginer le chemin tortueux qu'avait parcouru cette femme jusqu'à ce soir-là dans le bistro d'immigrants, au moment où elle avait retrouvé le Colorado. Pendant longtemps, elle avait aimé n'importe qui, par pure rage et par frustration. Un jour, elle avait décidé de ne plus aimer, c'était plus simple. De ne choisir que des amants d'alcôve, de ceux-là qui se déshabillent rapidement et qui ressemblent à des toutous haletants, qui atteignent un orgasme insipide en pleurant comme des enfants apeurés. De ceux-là qui partent en courant devant la première difficulté. Tout comme ce type d'un poème qu'elle avait lu quelque part :

Jamais je ne demandai si tu dormirais
jusqu'à l'aube avec moi
je rêvais de ta peau
je reçus ton fiel
je t'ai vu m'emmener en d'obscurs chemins
où je me retrouvai abandonnée
perdue pour un baiser de toi
je parcourus les cieux et les enfers
de l'âme
je pleurai tant pour le souvenir
de ton corps
le pire de tout
c'est que je savais
que tu te servais de ma peau
comme un havre
d'où retourner à l'océan
de tes mauvaises amours ;
même ainsi
je continuai à prendre ton venin
tu arrivais
brisé
douloureux
démoli
tu guérissais la blessure
tu prenais des forces
tu t'éloignais reposé
pour continuer à t'abandonner à tes désirs

en nourrissant les cloaques
en revenant à l'ennemi
hypnotisé
masochiste
fasciné par
la douleur.

À cette époque-là, les hommes s'arrêtaient un instant dans sa vie, puis en repartaient lessivés. Cette histoire s'était répétée si souvent qu'elle avait fini par comprendre que le problème ne venait pas d'eux, mais plutôt d'elle-même puisque c'était elle-même qui les recherchait. La cause résidait peut-être dans son enfance sans affection, l'absence de son père et sa lutte solitaire pour devenir quelqu'un ; quoi qu'il en soit, ils lui refilaient la facture, ils la condamnaient à parcourir le monde en quête de caresses pour se réchauffer le cœur. Ou peut-être avait-elle une aura, une tache de naissance ou une étiquette au front qui disait : « Ô vous, les ratés de ce monde, venez à moi ! »

Pour vivre sur la terre promise, elle s'était dit qu'elle aurait besoin d'une vie ordonnée. Elle s'était donc choisi un Belge silencieux et facile à séduire. Le pauvre avait connu très peu d'amour et pratiquement aucune passion dans sa vie. Elle l'avait enveloppé de son odeur de forêt, l'avait conquis grâce à la couleur de ses yeux et l'avait fait délirer par la saveur de son sexe. Seuls quelques baisers suffisaient à ce *gringo* ; une bonne baise une fois par mois, voilà tout ce qu'il désirait, et aussi qu'elle soit toujours la Latino-Américaine sexy qu'il avait rencontrée dans une discothèque un soir d'hiver. Il n'exigeait rien de plus pour se sentir heureux.

Ángela avait joué son rôle avec conviction et elle avait pris soin de lui avec affection. Elle cuisinait pour lui, lavait et repassait ses vêtements et mettait de l'ordre dans sa vie. Le Belge était donc plus qu'heureux puisqu'il n'avait pas seulement réglé son problème sexuel : il mangeait une cuisine de qualité, portait des vêtements propres et jouissait d'une couche toujours chaude. Il avait gagné à la loterie. En échange, il lui avait donné un nom, une position sociale, une voiture, une jolie maison dans un quartier cossu, des vacances dans les Caraïbes une fois l'an, des amis, un chien, une famille et, le plus important, un compte bancaire qui, avec le talent d'Ángela, avait prospéré rapidement. Sa vie était donc programmée pour les trente prochaines années. Après, viendraient la retraite, la vieillesse partagée, les voyages du troisième âge, la mort de chacun, puis l'enterrement dans le mausolée familial en se tenant par la main, s'accompagnant l'un et l'autre pour l'éternité.

Ángela se rappela qu'un après-midi, après une bonne séance d'érotisme dans l'hôtel trois étoiles où ils s'étaient aimés pour la première fois, couchés dans un immense lit, le Colorado lui avait dit :

– Savais-tu que l'amour et la folie sont inséparables ?

– Je ne comprends pas de quoi tu parles.

– Écoute, je crois que ton problème, c'est que tu aimes trop. Tu te donnes complètement et tu ne te laisses rien pour te récupérer. Où as-tu appris à aimer ?

– Je ne sais pas. Je laisse seulement les choses arriver.

– Laisse-moi te raconter, tu vas voir.

L'écrivain se leva du lit, nu, traversa la chambre et prit quelques papiers dans sa valise.

– Je vais te lire une histoire que quelqu'un m'a envoyée.

On raconte qu'une fois, tous les sentiments et toutes les qualités des hommes se rencontrèrent quelque part sur la terre. Après que l'Ennui se fut mis à bâiller pour la troisième fois, la Folie, folle comme à son habitude, proposa :
– Et si nous jouions à la cachette ?
Intriguée, l'Intrigue leva les sourcils et la Curiosité, sans pouvoir se contenir, demanda :
– À la cachette ? Qu'est-ce que c'est ?
– C'est un jeu, expliqua la Folie, un jeu dans lequel je me bande les yeux et commence à compter de un à un million pendant que vous vous cachez et, lorsque j'aurai terminé de compter, le premier de vous que je trouverai prendra ma place pour continuer le jeu.
Enthousiasmé, l'Enthousiasme se mit à danser, rejoint par l'Euphorie. L'Allégresse fit tant de galipettes qu'elle finit par convaincre le Doute et même l'Apathie, qui ne s'intéressait jamais à rien. Mais tous ne voulurent pas participer : la Vérité préféra ne pas se cacher. Pourquoi faire, si à la fin on la trouvait toujours ? L'Orgueil dit que c'était un jeu très idiot – au fond, il était vexé que l'idée ne soit pas venue de lui – et la Lâcheté choisit de ne pas se risquer.
– Un, deux, trois, commença la Folie.
La première à se cacher fut la Paresse, qui, paresseuse comme toujours, se laissa choir derrière la première pierre du chemin. La Foi monta au ciel et l'Envie se cacha derrière l'ombre du Triomphe qui, grâce à ses efforts, avait réussi à monter au faîte de l'arbre le plus haut.
La Générosité n'arrivait pas à se cacher. Chaque endroit lui semblait merveilleux pour l'un de ses amis ; un lac

cristallin : approprié pour la Beauté, une fente dans un arbre, adéquat pour la Timidité, une rafale de vent, parfaite pour la Liberté. Elle finit par se dissimuler dans un rayon de soleil.

En revanche, l'Égoïsme trouva un très bon endroit dès le départ : aéré, confortable, mais seulement pour lui. Le Mensonge se cacha au fond de la mer, ce qui était un mensonge car, en réalité, il se cacha derrière l'arc-en-ciel, mais il prétendit tromper tout le monde.

La Passion et le Désir se cachèrent au fond des volcans, et l'Oubli – j'ai oublié où il réussit à se cacher, mais cela n'est pas important.

Alors que la Folie comptait encore : neuf cent quatre-vingt-dix-neuf mille neuf cent quatre-vingt-dix-neuf, l'Amour n'avait pas encore trouvé où se cacher.

– Un million ! compta la Folie.

La Paresse fut la première qu'elle aperçut, à seulement trois pas, derrière une pierre. Puis elle découvrit la Foi, discutant de théologie avec Dieu dans un nuage très, très haut. Elle sentit vibrer la Passion et le Désir dans les volcans, découvrit l'Envie par inadvertance, cachée derrière le Triomphe. Elle n'eut même pas à chercher l'Égoïsme, il sortit tout seul de sa cachette, qui était un nid de vipères.

Elle eut soif de tant marcher et, en buvant dans un lac, elle découvrit la Beauté. Avec le Doute, ce fut plus facile encore : elle le trouva juché sur une clôture, hésitant toujours à propos de l'endroit où se cacher.

Il n'y avait que l'Amour qui n'apparaissait nulle part. Elle le chercha derrière un arbre, par les mers et les océans, sur la cime d'une montagne et, au moment où elle allait se déclarer vaincue, elle aperçut une roseraie et pensa : «L'Amour est si snob, il est certainement caché parmi les roses.» Elle prit une fourche et commença à remuer les branches avec force lorsque, soudain, l'on entendit un cri de douleur : l'Amour s'était crevé les yeux sur les épines des roses et criait, inconsolable. La Folie ne savait comment lui venir en aide. Elle lui demanda pardon, le pansa, le soulagea et lui proposa de devenir son guide.

Et l'Amour accepta.

C'est depuis le jour où les émotions jouèrent à la cachette pour la première fois sur la terre que l'Amour est aveugle et que la Folie l'accompagne toujours.

– Et toi, Ángela, tu es la meilleure preuve que c'est la vérité ! dit le Colorado avant de l'enlacer et de l'embrasser passionnément…

* * *

Maki émergea de ses songes. Le massage l'avait détendu. Ces derniers temps, il vivait de ses souvenirs : la Bella, le barrio, les nombreuses actions qu'il avait dû entreprendre pour survivre. Il se sécha les cheveux avec le séchoir électrique et se peigna. Quand il fut prêt, Claude prit sa photo au moyen d'une caméra digitale, la transféra sur le portable, chercha le logiciel lui permettant de comparer les visages, les coupes de cheveux, les couleurs, les teintures, les sourcils, les moustaches et les barbes. Au début, ils restaient sérieux, mais à force de jouer avec les combinaisons, ils commencèrent à se détendre et c'est en riant qu'ils choisirent le nouveau look. Il était près de minuit lorsque tout le processus prit fin. En se regardant dans la glace, Maki se rendit compte qu'il ne s'était pas trompé en venant. Il se voyait autre, vraiment différent.

– *Merci, mon vieux. Tu m'as aidé énormément, lui dit-il en le serrant dans ses bras.*

– *Eh bien, c'est comme ça dans la vie, Negrito. Fais bien attention à toi, ne prends aucun risque, répondit le Français avec émotion.*

Avant de sortir, Maki descendit au sous-sol, alla chercher le coffre-fort dans les toilettes, en sortit une grande enveloppe qu'il rangea dans un sac à dos.

– *Une dernière faveur. Voici la clé. Je te laisse un peu d'argent. S'il m'arrive quelque chose, remets-le à ma sœur.*

– *Ne t'en fais pas, dit Claude.*

Maki sourit en pensant à la surprise qu'aurait son ami lorsque, pour une raison ou pour une autre, il ouvrirait le petit coffre-fort. Il y avait laissé une fortune divisée en petits paquets. L'un était destiné au coiffeur et contenait suffisamment d'argent pour qu'il puisse prendre une retraite digne de ce nom.

À présent, il devait continuer son chemin et trouver le vieux Mac Arthur. Il avait besoin de papiers propres et d'une autre identité. Il se dirigea vers le bar de Constantino, son quartier général. Il se rendit au centre de la ville, prit un taxi en direction de la Little Havana et traversa la ville avec le soleil au zénith. La chaleur était insupportable, les vêtements lui collaient au corps et il suait à grosses gouttes. Il descendit à l'angle de la Huitième et de Douglas, traversa la rue et entra dans le local. Il n'y avait pas grand monde à cette heure-là, seulement quelques vieux Grecs en train de jouer aux cartes, deux couples prenant un café et, sur l'écran du téléviseur géant, les images d'une partie de foot. Au fond du local, seul à une table éloignée de tous, se trouvait un Noir, mince, vieux, ratatiné, un cigarillo allumé entre les lèvres.

Il était assis devant une tasse de café qu'un serveur remplissait de temps à autre silencieusement, sans le déranger. Il tenait dans ses mains un petit agenda à couverture en cuir et un stylo en or avec lesquels il constituait « la Liste ». À droite, il inscrivait les dates auxquelles certains allaient passer à une meilleure vie, à gauche se trouvaient leurs noms et leurs adresses. Des morts commandées par des épouses, des amants, des chefs, des amis, des ennemis, la police secrète ou la mafia. Il n'acceptait jamais de commandes de frères, de parents ou d'enfants, car il croyait fermement à l'unité familiale, disant que celui qui faisait tuer son père, sa mère ou son frère ne pouvait être qu'un fieffé enfant de salaud.

Mac Arthur avait été pilote d'hélicoptère de combat pendant la guerre du Vietnam. La cicatrice d'une blessure qui lui sectionnait presque le corps en deux, une jambe paralysée, c'étaient là les marques laissées par son dernier combat. Lorsqu'il était revenu de la zone de guerre, juste avant la honteuse fuite désordonnée des soldats de Nixon, les autorités lui avaient concédé la citoyenneté, une médaille au mérite, une prothèse dernier cri, une pension à vie et l'avaient envoyé dans un hôpital bondé de vétérans à moitié fous. Puis, le temps avait passé et un jour, il était retourné vivre chez lui sans heurts et sans éclat, à Jackson Heights, le grand quartier colombien de Queens, à New York. Or, ses amis étaient partis ou étaient déjà morts. Alors, n'ayant plus rien contre quoi se battre, foutu pour toujours, il s'était fait sicaire. Comme il avait déjà perdu la peur de la mort, il ne restait à présent que ce besoin viscéral d'adrénaline pour le droguer et le pousser à la violence. C'était pourquoi il lui avait été facile de se placer devant un autre homme pour lui tirer une balle entre les deux sourcils.

Avec les années, il était devenu riche et puissant. Il dirigeait maintenant une équipe de professionnels. Par son intermédiaire, il était possible de tout obtenir : argent, armes, passeports ou informations. C'était un type dur, parfois cruel, mais qui respectait chacune des lois inédites contenues dans les codes d'honneur des délinquants, dont celle-ci : « Toujours payer une faveur par une autre faveur. »

– Salut, le jeune, tu es encore vivant, ô miracle du Seigneur.

– Salut, Mac, comment ça va ?

– Ça va, beaucoup de travail. C'est une mauvaise époque et il est plus difficile de jour en jour de convaincre les gens que la mort n'est pas la meilleure solution à leurs problèmes. Ils n'apprennent pas à lutter ou à être comme le bambou qui plie et résiste sans jamais se rompre.

– « Le silence crie tout le temps… » C'est ce que tu m'as enseigné en premier. Te rappelles-tu ? Avec ton visage de maître de Shaolin, répétant tous les jours : « Discipline, concentration, contrôle des émotions ». Tu te rappelles ? lui répondit Maki sur un ton blagueur.

– L'état d'extase, un état mental supérieur. La douleur te domine ? Domine toi-même la douleur ! Tu es un lutteur, libère-toi, tue l'ennemi qui t'habite. Ne te plains pas, Negrito, tu as appris, tu as bien appris, sinon tu serais froid depuis un bon moment déjà. En quoi puis-je t'être utile ?

– J'ai besoin de papiers propres, d'une carte verte et d'un passeport.

– Je ne peux pas t'aider, tu sens déjà la mort, c'est de mauvais augure.

– Ne me dis pas qu'en plus, tu es devenu sorcier ! Il y a aussi quelque chose que je voudrais savoir : qui a mis ma tête à prix ?

– Ah ! Et depuis quand ai-je une tête de mouchard ? Ou crois-tu plutôt que je sois con à ce point-là ? dit Mac Arthur avec le sourire...

* * *

Après être sorti d'un long coma, Ángel souffrit d'une sévère dépression.

Pour lui, le pire avait été de se rendre compte que beaucoup de ce qu'il pensait avoir vécu n'était qu'une invention de son cerveau fatigué.

Son médecin tenta de lui expliquer ce qui lui était arrivé :

– Vous avez souffert de ce que l'on nomme un coma, psychogénique ou coma éthylique, qui n'est pas un véritable coma mais plutôt une intoxication exogène produite par la quantité d'alcool que vous avez consommé dans les derniers mois. La mémoire ressemble à une maison. À l'intérieur, il y a différents couloirs, des portes, des pièces, des chambres, des cachettes et des soussols où se trouvent vos souvenirs, vos expériences passées, vos rêves et vos aspirations, vos fantasmes et vos perversions. Chaque être humain possède sa propre construction. Pour certains, elle a la forme d'un palais ou d'une résidence. Pour d'autres, c'est une cabane ou un ranch à la campagne. Pendant que vous étiez dans le coma, vous êtes entré dans votre maison imaginaire et vous vous êtes perdu à l'intérieur.

Ángel essayait d'imaginer la maison de sa mémoire : une salle de séjour aussi grande qu'un hangar d'avion, dont l'un des murs serait orné de ses tableaux préférés de Van Gogh, Dalí, Humareda. Sur un autre mur se trouveraient les tableaux qu'il n'avait pas encore peints, mais qui étaient tous élaborés dans son imaginaire. Le mobilier se composerait de grands divans de cuir dispersés au milieu de l'espace. En entrant, un peu plus loin, une porte ancienne s'ouvrirait sur la grande salle d'entraînement au plancher de bois, entourée de miroirs et de grandes fenêtres d'où l'on pourrait voir la mer. La chambre serait remplie de masques, de costumes de théâtre, de chapeaux, de parures et de babioles, car elle serait le lieu de création de ses personnages, de ses fables, de ses contes, de ses pièces de théâtre et de ses pantomimes puisque, de toute manière, il resterait toujours un comédien. Dans la partie haute du corridor, il exposerait les photos des représentations, des affiches, des articles de journaux, des critiques et des reportages qui l'avaient ému.

Sa maison comprendrait quatre étages où chaque niveau représenterait des époques différentes de sa vie avec les souvenirs de voyages, les amis, la famille, les rêves, les illusions. Dans la partie la plus éloignée se trouverait un genre de tour pourvue de pièces sombres où il rangerait ses peurs, ses fantasmes les plus pervers, ses expériences négatives et ses douleurs.

Pendant que le médecin lui parlait, Ángel tentait de séparer la réalité de la fantaisie. Puis, il se demanda quelle proportion de ce qu'il avait lu, de ce qu'il avait vu, appris ou cru n'était que pure fiction. Il tenta aussi de découvrir combien de ces personnages inventés pour le théâtre s'étaient entremêlés dans sa tête. À quoi bon ! C'est ainsi que sont les comédiens, capables de construire deux, trois ou quatre personnages différents et de se mouvoir jusqu'aux abords de la folie de manière à franchir facilement toute limite d'un côté comme de l'autre.

Pour terminer, le psychiatre lui dit que, dans son délire désordonné, il avait confondu l'espace et le temps.

– Docteur, je comprends, mais il y a des choses qui existent véritablement, qui sont réelles. Par exemple, mon carnet de travail, je l'ai vraiment rédigé, tout ça est enregistré, insistait Ángel.

– Oui, c'est vrai, je me rappelle que vous avez rédigé ce carnet, mais il y a d'autres choses qui ne sont pas réelles. Ce qui est difficile, c'est de savoir lesquelles. Votre cerveau est capable de recréer des histoires et des gens qui n'existent pas et de vous faire croire qu'ils sont vrais, jusqu'à construire une nouvelle réalité qui n'existe que dans votre tête. Vous comprenez ?

– Je crois que je me suis encore perdu.

– Intéressant, très intéressant, répondit le médecin en mettant un terme à l'entretien.

* * *

Azul se déplaçait de part et d'autre de la ville en taxi jaune, ce genre de petites voitures rapides et tellement peu sécuritaires que, advenant un accident, leurs passagers seraient, du coup, réduits en bouillie.

Mais ces taxis sont économiques et distrayants quand on en profite pour converser avec les chauffeurs, qui, comme toujours, sont le pouls de la vie quotidienne.

– Ça va, l'ami ? Et les affaires ? demanda-t-il à l'un d'eux, qu'il avait hélé pour se rendre à un rendez-vous au sud de Lima, où quelqu'un l'attendait avec des informations importantes pour sa recherche.

– J'en ai jusque-là, répondit le chauffeur.

– *Les affaires marchent mal ?*

– *Les affaires marchent mal pour tout le monde et la moitié du pays se retrouve dans la merde, voyez-vous.*

– *Et l'autre moitié ?*

– *Ils ont déjà mis les bouts. Ils vivent en Étrangie, ils s'en sont sortis.*

– *« Étrangie », comme c'est amusant. D'où sort ce terme ?* questionna Azul, piqué par la curiosité.

– *C'est moi qui l'ai inventé, l'Étrangie est une île qui ne se trouve nulle part puisqu'elle est située entre la solitude et l'oubli...*

– *Quel poète !*

– *Naturellement, monsieur, je ne suis pas seulement chauffeur de taxi, je suis aussi un philosophe de la rue. En fait, je suis avocat, mais dans mon domaine, il n'y a plus de place ni de boulot.*

– *Eh bien, il faut faire quelque chose pour changer la situation, vous ne croyez pas ?*

– *Écoutez, de deux choses l'une : ou vous êtes naïf ou vous ne vivez pas ici.*

– *Je ne vis pas ici.*

– *J'avais raison, bien sûr. Regardez, mon cher ami, nous sommes frits, il n'y a plus de contrôle et si j'étais le président, j'aurais déjà fait fusiller tous ceux qui vivent de la connerie des pauvres.*

– *Fusiller ?*

– *Bien sûr que oui, mon ami, puisque personne ne fait le ménage dans ce foutu bordel. Il faudrait une poigne de fer. Vous avez dû vous rendre compte qu'ici, celui qui n'est pas d'accord avec le gouvernement prend une arme et se soulève, ou lynche les autorités, ou fait la grève et exige un changement de* gouvernement. Ici, c'est la terre de l'oubli, le pays des merveilles, la caverne d'Ali Baba, remplie de voleurs, de corrompus. Je crois parfois qu'il faudrait mettre tous les politiciens sur un bateau que l'on enverrait au milieu de l'océan pour qu'il chavire, comme ça on repartirait à zéro, sinon, nous ne pourrons jamais rien régler du tout, monsieur. Dieu que tout ça m'enrage !

– Vous êtes un radical ! Voyons, les affaires ne doivent sûrement pas marcher aussi mal que ça, dit Azul.

– Écoutez, mon vieux, je ne parle pas beaucoup avec les clients d'habitude, car je suis devenu très méfiant, mais vous me plaisez bien. Je me suis fait attaquer la semaine dernière. Vous voulez que je vous raconte ?

– Allez-y.

– Eh bien, c'était un couple. Lui était bien habillé, elle, c'était une très jolie fille. Ils avaient l'air de se rendre à une fête ou quelque chose du genre. Très aimables et bien éduqués. Ils m'ont demandé de les conduire au terminus d'où l'on prend les autobus se dirigeant vers le nord. À mi-chemin, en plein sur l'autoroute, j'ai senti quelque chose de froid ici, près du rein. Le jeune m'a dit : « Tu sais ce que c'est, non ? » Alors j'ai pensé : « Bordel ! Je me suis fait avoir ! » Et vous savez quoi ? Cette fille si jolie, si délicate, elle s'est retournée, m'a regardé dans les yeux et m'a dit avec le sourire : « Écoute, le vieux, si tu ne veux pas mourir, tu n'as qu'à obéir. Et maintenant, on va te dire où on veut aller. » Ils m'ont fait bifurquer par la plage jusqu'à la Panaméricaine Sud. Je chiais presque de peur dans mon froc. Je pensais à mes enfants. Puis, nous sommes arrivés à un terrain vague et là, écoutez ça, je ne vous mens pas, c'est la fille qui m'a dit : « Gare-toi entre les buissons. Maintenant, descends, enculé ! N'essaie surtout pas *de te retourner ou je te tue. » Alors, monsieur, je suis sorti, plus mort que vif. J'ai cru qu'ils allaient me tuer mais, comme il ne se passait rien, j'ai commencé à courir. J'ai couru, couru comme un fou et je cours toujours, même maintenant. C'est la troisième fois en un an que je me fais agresser.*

– Et pourquoi ne quittez-vous pas ce travail ?

– De quoi vais-je vivre ? Il n'y a pas de boulot et j'ai trois enfants à ma charge, même que deux d'entre eux étudient à l'université.

– La rue est dangereuse, c'est clair, mais... et la police, le gouvernement, ils ne font rien ? demanda Azul.

– La police est corrompue. Chaque jour, je dois donner des pots-de-vin ici et là. Vous n'avez pas lu le journal ? La majorité des gangs de kidnappeurs sont constitués d'anciens policiers et le gouvernement est encore pire. Ils y sont entrés et ils ont cru que c'était un butin, alors ils se le répartissent comme des piranhas.

– Et les gens, pourquoi ne réagissent-ils pas ? dit Azul.

– Parce qu'ils préfèrent ce gouvernement au précédent. Ça oui, c'était tout un vol à découvert, une vraie grosse mafia, vous ne pouvez vous imaginer. Ils ont réussi à s'emparer d'environ deux milliards de dollars, ces bougres de voleurs. Le Chino Fujimori, Montesinos, les généraux, ils nous ont pris notre argent, tout cet argent qui devait servir à construire des routes, des écoles, des hôpitaux, à payer les retraités et les enseignants, à acheter des ambulances, des médicaments, c'est tout ça qu'ils n'ont pas fait, vous vous imaginez ? Combien de gens sont morts par manque de soins médicaux, par manque de médicaments, par manque de vaccins, combien ont dû partir du pays parce qu'ici, il n'y a pas de possibilités. Combien de vieillards sont morts de faim, de froid,

d'angoisse et on ne parle même pas des enfants ! Trop de morts, vieux, ceux de la guerre contre les terroristes, ceux des maladies qui pouvaient être guéries, ceux de la faim et de la misère, ceux de la violence dans la rue. Ce pays survit sur un cimetière, dit finalement le chauffeur.

Puis un silence long et inconfortable s'installa. Enfin, ils arrivèrent à Villa el Salvador et la petite voiture s'engagea sur la vaste avenue principale, où les maisons étaient à moitié construites, avec leurs piles de briques et leurs tas de pierres à côté des portes, les tiges de fer émergeant de chacune des colonnes, le tout suggérant la quête du rêve de posséder sa maison fabriquée avec des matériaux « nobles », avec des briques et du ciment, symboles de permanence, de sécurité et de progrès.

Il resta surpris : ce qui avait été un immense désert s'était converti en une ville développée, avec ses routes, ses avenues, ses parcs, ses édifices, ses centres commerciaux, ses auberges, ses marchés, ses discothèques, ses écoles, et même des milliers d'arbres, arrosés par l'eau usée récupérée dans les égouts, lui racontait le chauffeur, une réussite du génie civil.

Les abords des collines avaient subi les invasions de cabanes de toutes sortes, entassées pêle-mêle, sans espaces ouverts. Plus loin, les autobus, les camionnettes rurales, les minibus et les moto-taxis se pressaient sur les routes asphaltées. Il aperçut dans les abribus de jolies filles fraîchement douchées, vêtues de leurs plus beaux atours et juchées sur les inévitables talons aiguilles, en train d'attendre leur transport. Elles passaient la plus grande partie de leur vie à déambuler sur des pistes où il valait mieux marcher pieds nus, mais elles s'obligeaient à s'enfourner les pieds dans ces modèles tordus pour aller faire prendre l'air à leurs désirs, au centre de la ville.

Le taxi emprunta une avenue nommée Premier Mai, traversa la promenade des Fondateurs et tourna sur une autre grande artère. Azul demanda alors au chauffeur de l'emmener jusqu'à la place Principale, où il n'était pas revenu depuis des lustres. Il se rappela qu'on la nommait alors la place de la Solidarité, à la mémoire des meilleurs moments de la lutte sociale et politique qui avait caractérisé ce barrio *dans les années 1980. En y entrant, il eut la surprise de constater que l'endroit avait été rasé et qu'un horrible édifice de verre et de métal avait été incrusté dans cet espace. Le chauffeur lui raconta que le vieux maire était bien connu pour son mauvais goût et que de telles constructions étaient typiques, une pure image servant à camoufler l'escroquerie ; de plus, le maire était un passionné des fillettes et c'était pour cela, pour montrer à tous qu'il « pouvait encore », qu'il avait fait installer tout à côté de la porte de la nouvelle mairie ce ridicule obélisque symbolisant une érection, finit-il sa phrase en riant.*

Le taxi poursuivit sa route et arriva chez le vieil ami d'Azul, Lucho, qui l'étreignit lorsqu'il sortit du taxi.

– Ça fait si longtemps, vieux frère !

Comme tous les dimanches, le parc central du complexe résidentiel était bondé à cause du championnat de foot qui se déroulait sur le petit terrain de ciment. Aux alentours, les voisins avaient installé des chaises et des tables devant chez eux. Ils buvaient de la bière, conversaient, regardaient le match et s'amusaient à parier sur leur équipe favorite pendant que les enfants imitaient les joueurs sur la piste de sable. Des gens dans leur voiture, sur leur moto ou à bicyclette attendaient pour connaître le résultat du match. C'était la grande fiesta. Le copain Lucho avait installé une table au milieu de son jardin, juste devant le petit terrain de jeu. Toute sa famille y était attablée : ses grands-parents, sa femme et ses enfants, ses frères et ses neveux. En fait, Luis était une sorte de parrain local et les voisins le saluaient en passant ou s'arrêtaient quelques instants. Tout ce beau monde parlait à tue-tête et riait à gorge déployée. Mais voilà que soudain, au milieu de toute cette frénésie, une bagarre éclata et deux joueurs commencèrent à se battre à coups de pieds et à coups de poings. Contents, comme s'ils n'attendaient que ce moment, les vieux, les jeunes, les enfants et les femmes, tous se mirent à courir en direction du terrain. Puis, avec beaucoup d'enthousiasme, l'altercation se convertit en une bataille de camps, tous contre tous. Certains en profitèrent pour résoudre les vieilles rancœurs et libérer la violence générée par les frustrations : quelques coups de tête, un bon coup de pied ou une claque sur la figure. Pendant ce temps, l'arbitre tentait de ramener le calme jusqu'au moment où, après avoir reçu un coup de poing en plein visage, il commença à expulser des joueurs. Ceux-ci devaient donc se contrôler s'ils voulaient continuer la partie de foot, pendant que les spectateurs se séparaient. Un groupe empoignait un petit vieux qui criait : « Retenez-moi ou je le tue… ! » Et tous les spectateurs, soudain, retournèrent s'asseoir pour jaser, trinquer et rire de leur propre déconfiture.

Azul observait en silence, un verre de bière à la main. Après avoir mangé, les deux amis allèrent marcher et Luis fit son rapport à Azul :

– J'ai cherché partout, mon vieux, sa famille est sans nouvelles de lui depuis des années. Bordel de merde, tu ne sais pas tout ce que ça m'a coûté ! Finalement, j'ai rencontré un copain qui est *le frère de la petite amie avec laquelle il est parti. Il avait eu des nouvelles de sa sœur.*

Il lui remit un petit bout de papier où étaient inscrits une adresse et un numéro de téléphone.

– New York, mon frère. Ton type se trouve à New York, lui glissa-t-il à l'oreille.

* * *

Accablé par une nouvelle crise d'angoisse, Ángel marchait dans le parc de la maison de repos et parlait tout seul :

– Je déteste cette maudite ville remplie de gens résignés qui endurent ce qui n'est même pas supportable, où chaque coin de rue est peuplé de mendiants, d'aveugles, de boiteux, de manchots ou de fous. De femmes avec des bébés qui pleurent de faim dans leurs bras. Un peuple de misérables qui t'attendent à chaque feu de circulation pour te quêter un morceau de pain. Avec l'amertume que distille cette terre où tous ont un prix, où tout s'achète et se vend. Je hais cette horrible peur que l'on charrie partout avec soi. La peur d'être séquestré, volé, violé, tué, accidenté, paralysé. La peur que l'on te transmette une maladie, la peur d'être trompé, poussé, insulté ou ignoré ; la peur que l'on te mente ou, pire encore, que l'on se moque de toi, de tes vêtements, de ta couleur, de ta façon de manger, de parler, de regarder, de faire l'amour, d'embrasser, de vivre ou de mourir. La peur de souffrir qui nous accompagne dès que l'on sort de chacune de nos maisons converties en caches, en cavernes, en forteresses, en prisons avec des barreaux et des cadenas, en enclos surveillés par des gardes, des chiens, des alarmes ou des vigiles. La nuit, les putes me cassent les pieds, avec leurs tétons à l'air et leurs culs serrés énormes et bourrés de silicone. Les vieilles qui se maquillent pour paraître jeunes et les jeunes qui font pareil pour paraître plus vieilles. À leur approche, l'odeur de violette nous frappe comme une gifle. Ça me rend triste de les voir se jeter telles des araignées dans les bars, les discothèques et les *chinganas*[8] de cette cité des Rois[9], saturée de drogués soûls morts qui se couchent dans les parcs et qui finissent par se vomir les entrailles au cours des sempiternelles matinées de *garúa*[10], qui n'est jamais une vraie pluie, pissant dans les jardins où les arbres grandissent à coup d'ammoniaque et d'alcool. Je hais cette ville de suicidés en puissance ! Cette ville de mal aimés qui vivent sans passion, inertes, éternellement installés dans la salle d'attente de la vie, lobotomisés, idiotisés, endormis au moyen de plantes et de produits chimiques, tournant en rond dans les limbes éternels de ce royaume pourri de chaos et de désordre. Je hais ce passé qui nous a convertis en ce que nous sommes devenus : de vrais salauds, des descendants de bandits, de pirates, de conquistadores, d'aventuriers, de voleurs, d'assassins ou d'esclaves ! Je hais ce pays ! Résultat d'un immense viol collectif où chacun trahit son frère pour de l'or et de l'argent et où chacun a peur de vivre, effrayé par la mort ! Tout ici est condamné à endurer les abîmes insolubles entre les riches et les miséreux. Tout est souillé par des meurtriers déguisés en clowns, par des politiciens

---

8. Bar sordide où se rencontrent des délinquants de toute sorte.
9. La cité des Rois (Ciudad de Los Reyes) est le nom donné à Lima par Francisco Pizarro lors de sa fondation en 1535.
10. Bruine qui recouvre la côte Pacifique une grande partie de l'année, due à la rencontre de l'air froid émanant du courant de Humboldt et des vents chauds des terres. Elle est appelée *camanchaca* au Chili.

qui volent et qui mentent, par des putes converties en saintes et par des saintes déguisées en putes ! Je hais ce sale pays de voleurs, qui font deux jours de prison et qui en sortent pour voler à nouveau. Je hais ce pays, avec ses morts anonymes éliminés par l'histoire, ce maudit pays où l'on ne sait jamais qui est le plus grand assassin, celui qui tue une personne ou celui qui en tue des milliers, où l'on a du pouvoir une journée et le lendemain, plus rien.

Ángel parla ainsi encore et encore. C'était sa manière personnelle de se libérer de ce qui le tourmentait. Il continua à répéter tout ce discours jusqu'à ce qu'il en soit fatigué, puis il retourna dans sa chambre pour regarder dehors, pour écouter le souffle de la mer et la mélodie que produisaient les vagues en se fracassant contre le rocher. Il attendait ses amis pour converser avec eux et pour écouter la lecture que le Colorado lui faisait de son roman à chaque visite, même si, avec la présence de la nouvelle infirmière, tout devenait chaque fois plus difficile.

* * *

— *Écoute, mon garçon, arrête de déconner, je ne vais pas te dire qui a ordonné ton exécution. C'est comme ça dans le métier, et en plus, ce serait comme de me condamner à mort moi-même. Je me souviens aussi que tu n'as pas terminé ton dernier contrat, dit Mac Arthur, en murmurant pour que personne n'entende.*

— *Ne me parle pas de ce maudit pépin, c'est à cause de ça que je suis si mal foutu, mais ce n'est pas ma faute, le type était trop bien gardé.*

— *Mais c'était ton devoir de vérifier ça, tu savais qu'il avait un garde du corps au cul, l'as-tu surveillé ? L'as-tu seulement* repéré ? Qu'est-ce qui t'es arrivé ? Tu t'es relâché ! Tu étais trop bon, c'était ça, ton problème, tu te croyais infaillible.

– Oui, c'est ça, j'ai pensé que ce serait facile.

– « C'est la confiance qui vient à bout du lion. »

– Je suis dans la merde à présent, j'ai échoué et je ne peux plus rien faire, dit Maki.

– Écoute, la seule façon d'éviter que ton cadavre soit retrouvé en train de flotter dans la mer un de ces jours, c'est de retourner sur les lieux et de terminer ton maudit travail.

– Qu'est-ce que tu veux dire ?

– « Une fois que le chien est mort, c'en est fait de la rage. » Cherche-le, trouve-le et tue-le, livre son cadavre, tourne le dos à ton destin et comme ça, ceux qui t'emmerdent te laisseront tranquille.

– Mais, mon vieux, tu sais bien que ce n'est pas possible, que c'est de la folie, je ne peux pas y retourner, je dois fuir maintenant et j'ai besoin de nouveaux papiers.

– Je ne peux plus t'aider maintenant, j'ai moi aussi à répondre de mes actes. « Sur la terre comme au ciel. »

En finissant sa dernière phrase, le vieillard se lança précipitamment par terre. Maki sentit que quelque chose n'allait pas et que la brusque manœuvre du vieux confirmait que la mort rôdait très près.

Le premier coup entra par la fenêtre, qui éclata en mille morceaux, et l'enfer se déchaîna, les balles sifflant de tous les côtés à la fois. Il tenta de se couvrir, sortit ses armes et commença à tirer dans tous les sens, tout en se laissant tomber par terre pendant qu'il effectuait un balayage visuel pour savoir d'où venaient les projectiles. Dans le fond de la pièce, derrière le téléviseur à *écran géant, il pouvait voir les pieds du couillon qui était en train de tirer, énervé. Il respira profondément et tira. La balle entra proprement et détruisit le genou droit du tireur. Le corps de l'homme se plia et pendant qu'il s'effondrait, tout juste avant de s'étaler sur le ciment, Maki tira un autre coup, sur le côté du menton, ce qui fit éclater sa cervelle vide, envoyant sans escale son propriétaire en enfer.*

Un deuxième type usait de sa mitraillette en rafales. Maki pouvait apercevoir son reflet dans un miroir accroché au mur près des toilettes. Il rampa jusqu'à ce qu'il puisse se placer juste en face de lui, puis, d'une balle, il réussit à faire tomber l'arme que ce tueur avait dans la main. Le pauvre en resta étourdi et accablé par le doute. Maki l'attrapa par le cou juste sous la pomme d'Adam et le souleva d'un seul coup. Cela faisait très longtemps qu'il n'avait pas vu la peur dans les yeux d'un autre. Lorsque le tueur essaya de parler, le couteau entra en diagonale sous le sternum, jusqu'à lui pourfendre le cœur. Par la suite, il n'y eut plus que silence. Des personnes parlaient à voix basse, respectant la mort qui avait bien accompli son travail. Les corps des deux types restèrent là, côte à côte, pendant que les autres personnes reprenaient leurs affaires ou attendaient à la porte qu'on enlève les morceaux de verre et de bois pulvérisés, et que l'on replace les tables pour redemander du café et poursuivre la routine quotidienne. Lorsque la police arriverait et demanderait ce qui venait de se passer, ils diraient comme toujours qu'ils n'en savaient rien de rien.

Maki s'enfuit par l'arrière de la cuisine. La colère le dominait : il ne s'était pas attendu à la trahison du vieux Mac Arthur...

* * *

Ángela aimait profondément son bohème d'ami, mais redoutait l'écrivain, non pas parce qu'il écrivait mal, mais parce que le Colorado séduisait avec les mots, spécialement si l'auditoire se composait de jolies filles. Lorsqu'il lisait ses textes ou commençait à raconter des histoires de l'époque de la militance politique, il pouvait garder ses jeunes auditeurs et auditrices sous le charme pendant des heures. Sans avenir, sans rêves, sans raisons de vivre, ceux-ci recherchaient désespérément des idéaux.

Fromm n'avait-il pas écrit que toute personne qui construit activement son existence développe de même son potentiel d'amour et de raison et accroît la conscience de sa véritable identité, et qu'elle peut entrer en relation avec les autres sans perdre sa liberté individuelle ? N'était-ce pas ainsi que devraient être les hommes et les femmes libres ? Pourquoi alors les nouvelles générations grandissaient-elles dans un monde sans avenir, sans rêves et sans espoirs ? Pourquoi optaient-elles pour la facilité consistant à rechercher un gourou qui véhicule le discours idéal, qui leur propose une formule magique ? N'était-ce pas plutôt la loi du moindre effort, suivi d'un échec assuré ?

Le Colorado était donc parfois confondu avec ce genre d'animateurs modernes aux idées jetables, auteurs de manuels de développement personnel aux mots simples. Les jeunes l'écoutaient, ébahis, et il les enveloppait de telle sorte qu'à la fin, il se trouvait toujours une belle fille qui s'offrait à lui pour faire partie de ses fantasmes. Alors la pauvre Ángela restait seule à ruminer sa frustration. S'il y avait une chose qu'elle ne pouvait nier, c'était que l'homme savait être bon amant.

Le Colorado se réjouissait lorsqu'une fille le questionnait à propos du texte d'une chanson qui l'avait rendu célèbre dans le monde du rock à une certaine époque.

– Te rappelles-tu ce thème-là ?

– Lequel ?

– « Donne-moi le temps de penser aux raisons pour lesquelles je te hais… »

– Bien sûr, voyons, comment c'était déjà ? Ah oui, j'y suis :

> Donne-moi le temps de penser
> aux raisons pour lesquelles je te hais
> laisse-moi ensuite te rencontrer
> et découvrir ton cœur
> et te tuer en silence
> ô mon ennemie
> qui a converti ses amants
> en fantômes
> ombres d'eux-mêmes
> guerriers sans guerre
> accablés de souvenirs
> tristes clowns
> de cirques invisibles.
> Tu ne savais aimer personne
> tu n'aimais que toi
> à travers moi.

Les mots, c'est prouvé, sont plus efficaces érotiquement qu'un corps athlétique, et de nombreuses femmes s'en nourrissent, les ressentent, les goûtent, les croient, et si ce n'était pas le cas, il n'y aurait pas autant de gonzesses trompées, flouées, utilisées maintes et maintes fois.

– Dis-moi un autre poème.

– Un seul suffit, ma jolie.

– Un autre.

– Tu veux boire quelque chose ?

– Oui, et un poème.

Regard fatigué
de tant mentir
chambre sale
maison vide
jour triste
heure fatale
exilé pour toujours
dans ce corps
au fond de tes yeux
qui reflètent
pour une dernière fois
mon cœur
gonflé de pluie
pour toi
j'ai cessé de chercher
le faisceau vert
qui illuminait
l'immense mer
j'ai recommencé à dire
que je t'aimais
avant que mon sang
ne coure dans les rues

rouge
libre
lorsque
l'ange de l'enfer
vint emmener
nos corps
où l'on pouvait encore sentir
la passion
dans la douce chaleur
des entrailles
ouvertes
c'est mensonge inutile
d'aimer et d'être aimé
quand tout va bien
nous devons nous demander
d'où viendra la balle
qui aujourd'hui
et pour toujours
mettra fin à nos rêves.

Si on lui avait dit qu'en atteignant la quarantaine il raconterait des histoires de personnages affligés, qu'il parlerait comme un vieux de la lutte sociale et d'une révolution qui n'a jamais eu lieu, et séduirait des jouvencelles avec ses mots, il aurait pensé que cette personne était folle. Mais c'était là sa vie maintenant et il en profitait dans la mesure de ses possibilités. Le Colorado y était arrivé après avoir gardé ses problèmes pour lui pendant très longtemps. Au début, il écrivait des poèmes pour se purifier l'âme. Il se rendit compte par la suite qu'il était habité par la solitude, la rage, la mort et la peur, les quatre cavaliers de son Apocalypse personnelle. Il essaya de devenir un autre, mais cela n'avait pas beaucoup de sens. Voilà pourquoi, après plusieurs échecs, il assuma son état d'écrivain du désespoir, du désaccord, des conflits non résolus et du désenchantement, et il ne fit plus rien qui n'eût été sincère. Si cela ne lui sortait pas des couilles, c'était inutile. Sa démarche était difficile et, pendant qu'il écrivait, les larmes lui brouillaient parfois la vue, mais d'une certaine manière, il se libérait peu à peu de ses souffrances en tuant ses cauchemars, en habitant ses fantasmes et en jouant avec ses rêves.

* * *

Après l'échange de coups de feu dans le bar de Constantino, Maki avait compris qu'il devait continuer à fuir. Mais où, se demanda-t-il. Peut-être devrait-il se rendre au Québec. Il y avait longtemps qu'il était sans nouvelles de son ami que l'on nommait le Mécanicien et qui vivait à Montréal. Il était convaincu que ce dernier ne le trahirait pas, car il était un homme d'honneur ; de plus, comme il était bourré de fric, il se foutrait de la récompense comme de sa première dent, bien que désormais Maki ne puisse plus jurer de rien.

Après avoir longuement réfléchi, il décida de franchir la frontière. Il prit le train de nuit, qui traversait le continent. Le voyage durait huit heures et il dormit pendant la majeure partie du trajet. En arrivant à la gare Centrale au petit matin, il prit un taxi vers le centre de la ville.

— Au Plateau-Mont-Royal, angle Papineau et Laurier, dit-il au chauffeur.

Ils arrivèrent dans une petite rue aux nombreux cafés et restaurants exotiques, qui débouchait sur un grand parc planté d'arbres. Au centre se trouvaient une piscine, des pistes cyclables et des terrains de football et de baseball. C'était l'endroit le plus sympathique et le plus tranquille de la terre. Ce quartier-là avait été le premier quartier du monde développé où il avait vécu. C'était là qu'il était venu avec la Bella après avoir accepté le pacte de Roberto au cours de cette nuit, là-bas, il y avait longtemps, dans ce bar situé à l'autre bout du monde. À l'époque, ils avaient quitté Lima un lundi soir. Ils avaient atterri à l'aéroport de Toronto, où ils avaient dû attendre deux bonnes heures avant de repartir vers la ville francophone la plus cosmopolite du Nord. Des milliers d'immigrants de toutes les ethnies et de toutes les cultures s'y côtoyaient dans une ambiance de tolérance et de curiosité constantes. À l'époque, le Mécanicien avait été son hôte, son ami et son maître d'entraînement à l'utilisation des armes modernes.

Le Mécanicien était également d'origine péruvienne, mais jamais il ne lui avait révélé d'où il venait. Lorsqu'ils évoquaient leur pays, jamais l'homme ne lui parlait de son passé, mis à part la phrase qu'il répétait souvent : « Je suis la photocopie d'une photocopie d'un Péruvien, et elle est tellement effacée qu'il n'en reste presque plus rien. »

Son ami camouflait ses activités secrètes par le retapage des voitures anciennes, auxquelles il redonnait la vie en les introduisant dans le circuit des collectionneurs, qui considéraient ce travail comme un art. Il vivait au-dessus de son atelier, dans un grand appartement de cinq pièces. Obsédé par la précision, il divisait sa journée en périodes : huit heures pour le sommeil, huit

*heures pour le travail et les huit dernières heures pour le plaisir.
En se levant, il syntonisait une chaîne de musique classique,
pendant que son chat entrait par la fenêtre pour recevoir sa
dose d'affection ; il lisait le journal, se préparait un bon thé
anglais, en prenant tout son temps. Il passait ensuite le reste de
la journée dans son atelier, à réparer ou à remonter des moteurs,
des carrosseries et des accessoires. Il était un mordu des voitures
anciennes, des armes et des femmes, dans cet ordre.*

*Dans l'après-midi, le Mécanicien se préparait une salade de
carottes accompagnée de riz indien basmati et de deux bonnes
portions de viande, arrosées d'une sauce à l'ail et au gingembre.
C'était peut-être l'un des secrets de sa jeunesse ; en effet, même
s'il était dans la cinquantaine, il ne faisait pas son âge. Cela était
probablement dû aussi au vin rouge, à la conversation agréable
ainsi qu'à une grande disposition pour le rire. Lorsque la majorité
·des gens se retiraient pour la nuit, le Mécanicien sortait les armes
de la cache au sous-sol et commençait l'entraînement, expliquant
le calibre, la forme, la distance, la trajectoire du tir, jusqu'à ce
que Maki maîtrise la théorie. Pendant les fins de semaine, tous
deux allaient s'exercer dans les bois qui entouraient la ville.*

*Ces armes provenaient en grande partie d'Europe de l'Est.
En effet, après l'éclatement des guerres nationalistes qui avaient
divisé cette partie du monde en minuscules pays, de nombreux
trafiquants avaient négocié l'achat de lots entiers de fusils, de
pistolets, de revolvers, de mitraillettes et de munitions pour les
revendre à des groupes terroristes, à des narcotrafiquants et à
des délinquants de tout acabit.*

*À cette époque, la Bella avait fini par accepter l'idée de prendre
l'avion et de se rendre aussi loin après que Maki lui eut dit que*

c'était seulement pour des vacances. Cela avait d'ailleurs été le cas pendant un certain temps : ils avaient visité la ville, découvert les musées, s'étaient baladés dans les parcs, avaient assisté à des festivals de musique, des feux d'artifice, du théâtre de rue, avaient mangé dans les restaurants mexicains, indiens, thaïlandais, chinois et arabes. Ils préparaient des banquets incroyables, buvaient beaucoup de vin, et essayaient d'apprendre le français en conversant avec des personnes sympathiques et intéressantes. Puisqu'ils se disaient comédiens, il leur avait été très facile de s'entourer de peintres, d'écrivains en herbe, d'éternels étudiants, d'itinérants aux allures d'intellectuels, dont les plus rigolos étaient ceux que l'on appelait « les derniers Incas », avec leurs cheveux longs, leur visage bien andin et leur peau brune ou cuivrée. Ils portaient un amalgame de vêtements des autochtones d'Otavalo, en Équateur, d'accessoires des multiples régions culturelles du Pérou, de vestes du Guatemala et de mocassins fabriqués par des autochtones du Canada, ce qui produisait un genre d'hybride enchanteur qui vivait de légende ; ces gens-là allaient même jusqu'à prétendre qu'ils étaient les descendants directs des Incas, des Mayas ou des Aztèques. Les plus audacieux proposaient leur bla-bla mystique et religieux en disant qu'ils étaient des chamanes envoyés par les ancêtres. Grâce à la musique qu'ils jouaient sur des instruments typiques comme la quena, *le* charango *et le* bombo[11], *grâce aussi à leur discours mystique et aux bijoux d'artisanat qu'ils*

---

11. *Quena :* flûte des Andes, taillée dans le roseau ; *charango :* petit instrument à dix cordes dont la forme est apparentée au luth ; *bombo :* tambour des Andes qui ressemble à la grosse caisse.

vendaient, ils s'en tiraient très bien, car les gonzesses raffolent des miroirs aux alouettes.

Lorsque le jeune homme qu'était alors Maki disparaissait avec le Mécanicien pour aller s'entraîner dans les bois, Ana María participait aux fêtes de l'été avec ses nouveaux amis. La Bella était une combinaison étrange d'innocence et d'audace ; elle obtenait ce qu'elle désirait en jouant les coquettes. Elle aurait dû naître dans un berceau d'or, mais la légende raconte que la cigogne qui la portait s'était perdue en route ; fatiguée de se promener en ville avec la fillette, elle l'avait lancée au loin sans plus de considération et la pauvre s'était retrouvée dans un barrio *très populaire, au sein d'une famille très ordinaire. Elle avait mené la vie de toutes les petites filles pauvres : elle avait grandi, appris, s'était développée et à l'adolescence avait compris que sa seule richesse, c'était sa beauté. Elle s'habillait de façon sexy, dans le but de provoquer. Elle aurait pu trouver un homme possédant assez d'argent pour la sortir de cette vie, mais, alors qu'elle commençait à peine à découvrir ses propres charmes, un homme de sa famille, aimé et respecté de tous, avait abusé d'elle. Le traumatisme profond qu'elle subit dans son corps et dans son esprit l'incita à se considérer coupable. Elle en avait ressenti une haine terrible et avait fermé son corps et son cœur à l'amour, à la passion et au désir.*

Au début de sa relation avec Maki, elle lui avait dit :

– Écoute, oui, tu me plais, mais si tu crois qu'un jour on va commencer ou finir par se retrouver au lit en train de faire l'amour, tu te trompes, car je n'aime pas le sexe. On reste des amis, sans plus. Si tu veux, on peut s'embrasser et se cajoler, mais rien d'autre.

Directe et contondante, comme un bon coup. C'est qu'elle avait fini par se convaincre qu'elle resterait ainsi toute sa vie, le cœur brisé, le corps perdu, se méfiant de tout et de tous. Elle se demandait parfois si un jour elle aurait le courage de vaincre la douleur du souvenir.

Le Mécanicien était un expert en matière de séduction et il trouvait la jeune fille très attirante. Peu à peu, lorsque Maki partait s'entraîner à la campagne, il commença à lui faire la cour. Puis, un soir de solitude et de bon vin, Ana María lui ouvrit son cœur. Elle lui confia ses doutes, ses peurs, lui raconta l'histoire qu'elle avait vécue. Le Mécanicien l'écouta avec une grande attention. Jamais Ana María ne s'était sentie aussi libre devant un homme et c'est pourquoi elle lui parla de ce qu'elle n'avait jamais encore dit à personne, et même ses secrets les plus fous. Il n'y avait plus de place pour le silence. Lorsqu'elle termina son long monologue en pleurant amèrement, il la prit dans ses bras en lui disant qu'elle devait commencer par oublier, qu'elle ne pouvait vivre ainsi dans le passé, parce que le souvenir ne servait à rien.

Après avoir vécu un certain temps chez le Mécanicien, les jeunes gens le quittèrent, car il leur fallait suivre le chemin de la vie et de la mort. L'entraînement de Maki terminé, ils partirent s'installer dans un petit village hors du circuit des grandes villes, pour attendre les appels qui amèneraient Maki à entreprendre son nouveau métier.

La Bella finit par faire l'amour à Maki, brisant ainsi la promesse qu'ils s'étaient faite de ne s'accorder mutuellement que tendresse et compagnie. Un soir de vin et de bonne cuisine, ils s'aimèrent avec passion, avec joie et avec tout le désir qu'ils avaient l'un de l'autre après avoir attendu si longtemps. C'est ainsi que le sexe vint s'installer entre eux, tout tranquillement. Or, comme le dit le proverbe, l'homme ne vit pas seulement de pain et, après plusieurs mois du même menu, la froide lassitude arriva, accompagnée par le froid intense de l'hiver et une immense solitude, car les villageois étaient peu loquaces et redoutaient les étrangers. Dans ce village, il y avait une rue principale, une pharmacie, un centre commercial et le vieux ciné, rien d'autre. Un jour, durant une longue absence de Maki, la Bella se lassa de compter les heures en attendant son retour et, après avoir entassé toutes ses affaires dans une valise, elle déguerpit pour aller se perdre quelque part en Amérique du Nord...

Maki revenait maintenant chez le Mécanicien, très longtemps après toute cette histoire, pour y chercher un refuge pour son corps fatigué.

Avec insistance, il frappa à la porte de la rue Papineau, mais comme personne ne répondait, il se rendit au dépanneur du coin.

– Salut, Cheng, sais-tu où est le Mécanicien ? demanda-t-il au Coréen de toujours, qui se trouvait derrière le comptoir.

– Salut, le Peluvien ! Ça fait si longtemps ! Je ne sais pas où il est, il y a déjà un bon moment qu'il est parti, il ne vit plus ici, répondit l'Oriental avec un large sourire.

– Putain de merde ! Cette fois-ci, je suis vraiment baisé, dit-il à voix haute en sortant du commerce.

* * *

– Mon vieux, cela ressemble à l'un de ces romans d'aventures que l'on lisait lorsque l'on était adolescents, tu te rappelles ? dit Ángel en se levant du lit. Il marcha un peu dans la chambre, puis se mit à chercher au bas de la table de nuit. Il en sortit une boîte de chaussures enveloppée dans un sac de plastique.

– Prends ça, Colorado, j'ai gardé ces choses pour qu'elles te soient remises quand je mourrais, c'est ton héritage. Comme c'est ironique que ce soit moi qui te les remette, à présent. C'est tout ce qu'il me reste, je n'ai plus que ces souvenirs, moi qui suis sans amours, sans enfants, sans rien.

La boîte était remplie de vieilles photos. Il y avait aussi une petite licorne en cristal à la corne brisée, une pointe de flèche taillée dans une conque marine, un grand jeu de tarot, ancien et très usé, puis, enveloppées dans un tissu noir, une grande quantité de lettres et de cartes postales, dont celles que le Colorado lui avait envoyées des villes qu'il avait visitées pendant toutes ces années où il avait voyagé.

Ému, l'écrivain en prit une au hasard et lut :

Madrid, le 2 mai 1990

Mon cher Negrito,

Je viens de passer l'après-midi au milieu de la Plaza Don Quijote à regarder la statue de notre merveilleux personnage et je me suis rappelé que nous disions tous les deux : « Ils aboient, Sancho, c'est signe que nous avançons », dans notre combat quotidien contre les moulins à vent. Putain qu'on était fous d'essayer d'affirmer l'individualité au milieu d'un collectif de militants fanatiques, où même la vie intime était régie par le comité central du parti. Comment diable avons-nous pu tomber au milieu de toute cette histoire-là ? Parfois, je me le demande.

Ensuite, j'ai marché sur la Gran Vía, j'ai pris la rue Alcalá et je suis descendu jusqu'à la Puerta del Sol pour regarder, pour écouter, pour humer, pour sentir, pour goûter et pour apprendre la ville. J'étais un peu nerveux, car j'avais un rendez-vous à six heures et tu ne pourras jamais deviner avec qui. À cinq heures cinquante-cinq, je me suis levé et je suis allé attendre dans un coin de la place. Je l'ai vue venir au loin, toujours aussi belle, avec ses cheveux courts et les mêmes yeux clairs : « Sereins comme un lac, dans les eaux tranquilles duquel je me suis regardé un jour ». Après les salutations et les questions de rigueur à propos de nos vies, nous sommes entrés dans un petit café. Nous avons parlé de tout et de rien, puis nous nous sommes rappelé la première fois que nous nous sommes rencontrés, au dispensaire où j'étais allé demander que l'on me fasse une vasectomie. Ce jour-là, tordue de rire, elle m'avait dit que j'étais fou, que j'étais bien trop jeune. Mais moi, je ne voulais avoir aucune responsabilité terrestre puisque nous allions faire la grande révolution socialiste et que, dans un moment comme celui-là, avoir des enfants devenait un obstacle. Voilà pourquoi une méthode aussi radicale viendrait tout arranger pour toujours. Je venais de sortir de l'École de théâtre : te rappelles-tu nos discussions sur le rôle du théâtre politique et son implication dans la culture de l'avenir ? C'est de cela que je lui avais parlé lorsque je l'avais invitée à prendre une bière dans un bar devant la place de la Solidarité. Cette première conversation nous avait lancés sur la musique de Serrat, qui nous avait renvoyés à la poésie de Benedetti, qui nous avait fait reconsidérer le cinéma de Saura : nous étions différents, mais nous avions des points en commun. Après cela, j'ai compris pourquoi les étrangères me plaisaient tant : en plus d'être belles, elles sont indépendantes, autonomes, assumant leurs problèmes, leurs idées ou leurs rêves. Tellement différentes des filles du *barrio,* qui te demandaient de venir à la porte de chez elles pour converser à propos des fêtes si assommantes du samedi soir, jusqu'à ce qu'un jour, après t'avoir embrassé ou, au mieux, t'avoir étreint, elles te condamnaient à partager la vie rustique de leur famille ! Pendant des années tu attendais l'étape suivante, saluant les papas, riant stupidement avec les sœurs, craignant leurs sauvages de frères qui te menaçaient constamment de te tuer s'il arrivait quelque chose à leur petite sœur virginale et sainte. Puis un soir, après un long préliminaire qui l'avait à moitié convaincue, tu parvenais à tes fins, mais pour ton malheur, elle se retrouvait enceinte. Sanglots et promesses brisées étaient les prémisses d'un mariage hâtif, sans anesthésie aucune ! Et les premières années écoulées, tu te retrouvais installé dans la même maison, avec les mêmes personnes, devenu gras du bide et très amer, un survivant sans avenir.

À l'époque où j'avais aimé ces yeux verts, les baisers nous avaient conduits sans complications vers le désir et nous avions fait l'amour, d'abord dans le lit ancien d'un hôtel du centre de la ville, puis là où l'envie nous en prenait. Nous avons beaucoup ri dans ce café de Madrid en passant nos souvenirs en revue. Puis, après un moment de silence, nous nous sommes demandé : pourquoi avons-nous mis fin à notre relation ? Chacun raconta sa version et nous nous sommes rendu compte que nos amours avaient été détruites par l'intervention insidieuse d'une paire de vieilles cancanières qui avaient inventé une chaîne de sales mensonges, jurant que je voulais seulement me servir de la pauvre petite, comme si elle était une victime de mes bas instincts, comme si elle n'était qu'une petite fille désemparée qui ne savait pas ce qu'elle faisait. J'ai appris qu'à l'époque les gens me surnommaient le « bâtard ». Même après toutes ces années, j'enrage et j'ai parfois envie de retrouver ces harpies pour les faire frire dans l'huile bouillante.

Je lui ai dit ce qu'elle avait représenté dans ma vie, parce qu'on ne sait jamais si une rencontre sera la dernière. Je lui ai expliqué que ma relation avec elle et notre passion m'avaient permis de me voir autrement. Te rappelles-tu le temps où je terminais les répétitions avec la troupe de théâtre et que je disparaissais pendant la fin de semaine ? Quand je rentrais, j'avais le corps fatigué et j'étais à bout de souffle, mais j'avais l'âme au ciel.

Ensuite, nous avons marché dans la ville et, devant une entrée de métro, après un baiser sur la joue, nous nous sommes dit adieu, peut-être pour toujours. Alors j'ai ressenti un grand besoin d'amour et, plutôt nostalgique, je me suis perdu dans les méandres du quartier des prostituées pour chercher un peu de tendresse. Je suis entré dans un petit bar dont l'enseigne au néon représentait une coupe de martini. La lumière changeait de couleur, illuminant les corps au rythme de la musique d'un saxophone. Une fille qui n'avait pour tenue qu'un kimono de soie s'est approchée et m'a dit à l'oreille, tout en me montrant un très beau sein blanc : « Je t'accompagne, mon beau ? » J'étais tellement soufflé par le spectacle que j'ai seulement réussi à lui dire : « OK. »

Nous avons pris place à une table éloignée de la scène. J'ai commandé un verre. J'ai constaté qu'elle était elle aussi un peu mal à l'aise. Quelles questions pouvais-je bien lui poser dans un pareil endroit ? « Que fais-tu ici ? attaqua-t-elle. – Rien, j'essaie de connaître un peu la ville, répondis-je. – Tu n'es pas Espagnol. – Non, je suis Péruvien. – Qu'est-ce que tu fais, au Pérou ? – Je fais du théâtre. – Quelle coïncidence, je suis cinéaste, dit la fille en souriant. – Quoi ? – Oui, je fais du cinéma et de la vidéo », ajouta-t-elle en couvrant son beau sein.

Nous avons eu une conversation très intéressante, en commençant par Chaplin jusqu'au dernier film de Woody Allen. Un pur délice, car elle en savait long sur les techniques du jeu et de la direction. J'y suis retourné chaque soir pendant une semaine.

Comme tu vois, ce monde est si hallucinant qu'il m'a permis de dénicher pareille fleur dans la fange. Je tiens à te dire que tout se passe plutôt bien ! Je peux voir le sein en plus de tout son beau corps couché dans mon lit. Je ne sais pas ce qui arrivera par la suite, mais tu le sais déjà : il faut laisser du temps au temps, vivre au jour le jour. Maintenant, j'en sais beaucoup sur le cinéma.

Je t'embrasse.

Fais attention à toi et ne te laisse pas aller.

Salue les potes du *barrio*.

Le Colorado.

Que lui avait-il raconté d'autre ? Ces mots contenaient toute son aventure européenne et américaine, les longs voyages, premièrement pour retrouver des amis, puis pour connaître les villes et leurs habitants, et par la suite, simplement pour partager des réflexions sur tout ce qu'il lui arrivait, les joies, les tristesses, la nostalgie, la découverte de soi. En conservant ces lettres, Ángel avait réussi à arrêter le temps.

New York, le 20 mai 1992

Cher Negrito,

Assis au milieu de l'immense et superbe Central Park, au cours d'une longue et intéressante réflexion en solitaire agrémentée par la vision de jolies femmes en train de faire des exercices, je pensais à la façon dont un écrivain peut se convertir en un dieu. Chaque artiste est un créateur qui invente une réalité alternée d'espaces, de temps, d'éléments, de personnes, de situations, et qu'il construit en déconstruisant l'ordre, il réinvente la passion, l'amour, la vie et la mort, ces thèmes récidivistes de toute la littérature, d'après notre ami Octavio Paz. Comment un homme, aidé de sa seule mémoire, peut-il amener ses personnages à vivre des joies ou les détruire avec cruauté, agir comme le bon comédien qui remet en question tout ce qui, pour les autres, est vérité absolue et qui recompose, façonne son personnage, inspiré par des êtres réels ou inventés, lui donnant un corps, un visage, un passé. Il le rend crédible de façon à ce qu'il puisse être soutenu au moment de son entrée en scène, pendant qu'il accomplira sa mission et sortira par l'arrière-scène pour ne jamais revenir. C'est la même chose pour le peintre ou le sculpteur, qui voient dans les choses des formes nouvelles, qui leur enlèvent leur fonction utilitaire pour les transformer en couleurs, en structures ou en espaces différents.

Qui es-tu ? Que fais-tu ? Pourquoi le fais-tu ? Où es-tu ? Ce sont là les questions qui alimentent le comédien, et que les hommes qui se cherchent des raisons pour exister devraient également se poser.

Heureusement que je me consacre maintenant à l'écriture, sinon je deviendrais fou. Lorsque je quitte le restaurant après mes huit heures de travail nécessaire pour gagner ma croûte, j'écris des pages et des pages. Je ne sais pas si elles deviendront des poèmes, des contes ou des romans. Je veux seulement sortir tout le vécu de ma tête en plus de ce temps de pèlerinage. J'ai parfois l'impression d'avoir soixante-dix ans.

Te rappelles-tu quelle était la porte de sortie contre l'ignorance ? Malcom X disait que la seule chose qui nous rendrait libres, nous, les pauvres, les Noirs, les oubliés et les exclus de la société, c'était l'éducation. Alors, j'en tiens compte et j'applique la solution, rien d'autre. Je mange la ville morceau par morceau, je vais au ciné, au théâtre, au ballet et je lis comme un possédé. Heureusement, il y a une bibliothèque publique dans chaque quartier et j'y emprunte des piles et des piles de bouquins pour la fin de semaine ou pour lire dans le métro. C'est fou tout ce que je peux apprendre dans chaque roman, chaque conte ou chaque article. Nous devenons ce que nous amassons, donc si nous consommons de la merde nous produirons des saletés. J'essaie de vaincre la misère de ma pauvreté culturelle, de la peine que nous purgeons, nous, les voyous cultivés, pour pouvoir aspirer à si peu, pour devenir ensuite les guignols à la solde des puissants. Je m'interdis de me bannir de ma propre vie, je suis un personnage, j'étudie, j'apprends, je pense, j'existe. Chaque mercredi, de six heures à neuf heures, j'entre au Metropolitan Museum (s'il y a une chose qu'ils font bien, ces *gringos,* c'est qu'ils programment tout pour tout le monde : l'entrée coûte quinze dollars tous les jours de la semaine, sauf le mercredi où elle est gratuite et j'en profite). La section des classiques est située au deuxième étage. C'est là que les sculptures de Rodin m'attendent pour converser : une série de personnages qui sont restés congelés dans la pierre et semblent à tout moment sur le point de poursuivre leur action interrompue, avec leurs visages sculptés avec une grande précision, la beauté de leurs mains, tous ces corps dont aucun muscle n'est au repos. J'essaie toujours d'imaginer quel pourrait être le prochain mouvement de chacun de ces visages de marbre et, soudain, une merveilleuse chorégraphie surgit devant mes yeux.

Les peintres, divisés par époques, révèlent un peu plus loin leurs œuvres originales, dans leurs dimensions réelles. Tu ne le croiras pas, mais aucune photo, aucune affiche ni reproduction ne peut te révéler le tracé fort, violent, décidé d'un Van Gogh au milieu de sa folie. Il créait des merveilles de couleurs dans ses tournesols, dans ses ciels, ses champs de maïs, ses places, ses maisons, ses corbeaux ou ses chaises. C'est un banquet pour les sens et je ne me lasse pas de voir les Picasso, Gauguin, Dalí, Miró, Kandinski, Juan Gris, Khalo, Rivera, Orozco, une merveille ! Au début, c'était pure émotion et je pleurais en regardant et en ressentant chaque tableau. Maintenant, je suis plus tranquille, je prends tout le temps du monde pour apprendre. Tout est là dans ce musée. C'est comme si les *gringos* avaient tout ramené chez eux lors du grand pillage universel.

Nous devons y venir ensemble un jour, promets-le-moi.

Je t'embrasse,

Le Colorado.

Ensuite, il en lut une autre :

New York, le 1ᵉʳ novembre 2000

Cher Negrito,

Hier, j'ai couru le fameux et jamais assez vanté marathon de New York. En ce moment, j'ai mal jusque dans l'âme, mais je ne voulais pas laisser passer l'opportunité de partager quelques impressions avec toi.

Nous étions des milliers de gens qui, dans une ambiance de fête, conversaient, s'entraînaient, se réchauffaient les jambes au beau milieu du parc, entre les gratte-ciel, et lorsque la cloche du départ a sonné, chacun est parti en flèche, chacun pensant avec innocence qu'il allait gagner.

Les vingt premières minutes, ce fut facile, même que j'ai réussi à sentir le rythme. Dans l'heure qui a suivi cependant, la partie difficile de la course a commencé, la première douleur s'est mise à monter dans mes mollets et la sensation s'est répandue dans tout mon corps. Mais il fallait se concentrer, essayer de ne rien sentir, autrement tout serait foutu. C'est à ce moment-là que presque tout le monde renonce à cause des crampes. J'ai vu plusieurs coureurs s'arrêter en chemin, ceux qui ne s'étaient pas entraînés, ceux qui n'y étaient venus que par enthousiasme, ceux qui avaient été poussés à s'y essayer.

J'ai continué à courir, et quand la douleur est devenue plus intense, j'ai eu envie de tout envoyer promener. Il fallait que je pense à autre chose, alors j'ai regardé le visage des gens, les rues, les immenses édifices, et lorsque mes jambes commencèrent à n'en plus pouvoir, le souffle d'oxygène qu'on appelle le second souffle est arrivé et j'ai senti la douleur disparaître. C'est comme un miracle du corps qui va chercher l'énergie à l'intérieur de lui-même, qui l'extrait de la moelle des os, du fond des muscles et de son âme. L'effort est grand et j'en ai vu d'autres s'arrêter, des jeunes, des femmes, des hommes qui, fatigués, abandonnaient la course en riant.

C'est comme ça dans la vie. Plusieurs entreprennent la course, mais ils ne peuvent pas tous faire face à leurs limites, vaincre leurs propres peurs.

Après trois heures de course, plus rien n'a d'importance, le rythme est essentiel : un, deux, un, deux, un, deux. Il n'y a plus de sueur ni de fatigue, rien. C'est comme si l'inertie elle-même te transportait, le corps, c'est ce silence à l'intérieur de toi, c'est un regard intérieur, un temps créé dans ta tête, c'est comme une machine qui répète un, deux, un, deux, jusqu'à ce que finalement, tu saches que tu vas y arriver. Autour de toi, les gens t'encouragent, t'applaudissent, te poussent. Juste avant la fin, je suis devenu super alerte parce qu'il peut toujours arriver quelque chose qui vient tout foutre en l'air. Je pensais à une équipe de football qui continue à lutter jusqu'à ce que, à la toute dernière seconde, l'équipe adverse réussisse à compter un but qui lui enlève le triomphe : tant d'efforts pour rien. Alors ceux d'entre nous qui continuions à courir avons redoublé d'ardeur. J'ai finalement franchi la ligne d'arrivée en poussant un grand cri, j'ai célébré ma réussite une fois de plus.

Tu dois te demander pourquoi diable je te raconte que j'ai couru le marathon. C'est parce que je t'ai trouvé très déprimé dans ta dernière lettre, mon vieux. La vie est un exercice de discipline, d'affirmation. C'est un défi envers soi-même, une course à la résistance. J'ai toujours dit que, l'ennemi, c'est soi-même. Donc, cesse de te démoraliser et continue à courir.

Je t'aime beaucoup.

Prends soin de toi,

Le Colorado.

P.-S. : Écris-moi chez Javier, à Madrid, car je vais retourner en Europe pendant quelque temps. Je passerai par là en décembre et j'y resterai pour Noël. Comme tu le sais, cette époque est difficile pour cet homme qui vit plus seul que la solitude. Il ne faudrait pas qu'il se mette à déprimer et qu'il aille finir ses jours entre les roues d'un wagon de train.

Le Colorado désirait continuer à lire et il songea à emporter les lettres à l'hôtel pour se laisser envahir par les souvenirs. Poursuivant l'examen du contenu de la boîte, il trouva le journal d'Ángel, un calepin d'écolier rempli d'annotations, et un recueil de contes courts qu'il lui avait envoyé il y avait longtemps,

Pour réveiller les morts, le premier de ses livres, écrit à Berlin au début des années 1990. Ses amis avaient organisé une grande collecte de fonds pour qu'il puisse enfin publier.

Ángel, le Colorado et Ángela ne purent résister au poids des souvenirs et les larmes se mirent à courir sur leurs joues. Ils pleuraient tous les trois, car là, dans les lettres, le journal, le recueil de contes et sur les photos, reposait l'histoire d'un groupe de jeunes romantiques, de révolutionnaires, de militants de la vie, chargés de rêves. Ils pleuraient pour effacer la douleur de l'échec, de la certitude de savoir qu'il ne reste, quand on part, que des papiers et des mots, rien d'autre.

– Colorado, tu ne sauras jamais à quel point tu m'as fait rêver avec ces lettres, avec tes histoires. Un prof m'a dit un jour : « Un ami, c'est souvent quelqu'un qui accroche des ailes à nos pieds lorsque l'on a oublié comment voler. » Tu es pour moi cet ami. Tu sais que je n'ai jamais cessé d'avoir la foi dans une vie belle et juste pour tous, petit frère. Maintenant, j'ai peut-être l'air d'être fou, mais c'est ma manière à moi de me cacher, d'oublier, de laisser ma licorne bleue apparaître. Nous restons seuls face à notre avenir, face à l'illusion, face à l'espoir que nous avions qu'un jour le monde changerait. Nous sommes bien seuls, petit frère, mais nous résistons.

Ils s'étreignirent, laissant les larmes les purifier, la peine se dissoudre et le vent emporter la douleur.

* * *

Les années avaient passé et la routine avait fait son apparition dans la vie d'Azul, une routine lourde, angoissante et terrible, parce que même ce boulot avait la sienne. Maintenant, il n'y avait plus d'émotion ni d'adrénaline, et l'attente, les hôtels, les cachettes, la solitude et ce retour vers nulle part l'emmerdaient.

Il se sentait seul, sans amis, sans personne qui l'attende, sans chez-soi, sans valise où garder les vieilleries et les souvenirs, devant changer constamment de personnage pour pouvoir exercer son métier de tueur. Un après-midi, il s'était réveillé d'un mauvais rêve et il était resté là, à regarder le vide pendant quelques secondes, sans savoir qui il était... Il s'était perdu lui-même.

Il avait pris sa retraite après avoir réglé son compte au monstre qui avait tué la femme de sa vie. Un jour, après l'avoir beaucoup cherché, Azul avait trouvé le coupable et avait compris que l'heure de la vengeance avait sonné. Il avait tout préparé avec sa minutie habituelle : la position de sa victime, le suivi et le réglage, la définition du type d'action, l'arme à utiliser ainsi que le lieu et, finalement, il était allé l'attendre patiemment à sa maison sur la plage. Il s'en était pris au vieux délinquant à coups de balles bien précises. Il désirait qu'il sache qui était son agresseur et pourquoi il mourait. Le jeu avait duré une bonne demi-heure avant qu'Azul le tue dans les broussailles, au bord de la mer. Or, il était revenu blessé de cette rencontre ; un projectile s'était logé très près du cœur et il avait été impossible de l'extraire. On avait prévenu Azul que s'il se déplaçait de quelques centimètres, il mourrait. Il avait alors laissé les armes et s'était installé dans un petit port de pêcheurs, pour y vieillir lentement et y attendre la mort.

En regardant la mer les après-midi, il pensait à sa jeunesse, lorsqu'il allait au stade de foot, passionnément et religieusement, pour applaudir, sauter, crier, se réjouir, se fâcher ou devenir triste dans les gradins avec des centaines de jeunes qui, comme lui, s'accrochaient à la couleur d'un T-shirt pour avoir une identité. Chaque dimanche, c'était la fête à laquelle il se préparait la semaine durant. C'était sa tribu, son espace de réalisation personnelle, qui exigeait peu à l'époque, c'est-à-dire à peine quelques buts pour se sentir inondé par le bonheur pendant les sept jours à venir. Il avait eu des amis, des copains, des potes, des intimes, puis, avec les années, il lui était devenu plus difficile de créer des liens. Plus tard, lorsqu'il eut commencé à déambuler de par le monde avec un pistolet à la main, il lui avait été impossible d'avoir des amies de cœur, de la famille et des enfants.

Voilà où il en était, plongé dans la nostalgie, lorsqu'il reçut l'appel téléphonique et qu'il accepta la commande. Il s'ennuyait sur la plage, seul avec son chien, et ce qui l'attira le plus, c'était le fait de se lancer à la poursuite d'un très bon, d'un très digne rival. Si ce qu'on lui avait dit était vrai, Maki avait maintenant dépassé ses maîtres. La chasse s'annonçait passionnante.

* * *

Pendant des années, Ángel avait collectionné les lettres du Colorado. Après les avoir lues, il les faisait lire aux jeunes du coin, qui étaient maintenant vieux, chauves et bedonnants et qui, en dépit de tout, continuaient à jouer au foot tous les samedis après-midi. Ils jouaient leurs trois parties jusqu'à ce que le soleil disparaisse et, après la douche, ils se réunissaient pour savourer une bière bien froide dans le bar qu'ils avaient fréquenté toute leur vie, pendant que leurs enfants, devenus des ados, dansaient dans les discothèques et que leurs femmes se réunissaient pour aller prier à l'église à la messe de dix-neuf heures.

Admiratifs, ils avaient vécu par procuration les aventures du Colorado dans les villes où il avait flâné. Leur ami leur avait fait découvrir un monde bien différent de leur dur quotidien fait de travail, de bagarres, d'angoisses et d'anxiété au sujet de la façon dont ils s'y prendraient pour remplir la marmite, payer les fournitures scolaires, l'école, le téléphone, l'eau, l'électricité ou le loyer.

Personne ne l'avait dit à haute voix, mais pendant qu'ils lisaient les lettres du Colorado, chacun pensait par devers soi qu'il avait rêvé de quelque chose de bien différent pour lui-même, qu'il avait aspiré à étudier et à progresser pour améliorer ses conditions de vie et celles de sa famille. Or, chacun de ces rêves était allé au diable au milieu de la crise, du chômage, dans un pays toujours de plus en plus endetté, toujours de plus en plus pauvre, toujours en déficit et où, pendant plusieurs décennies, les pauvres avaient payé de leurs poches les pots cassés, et parfois même la batterie de cuisine au complet, que volaient les divers gouvernements et les dirigeants. C'était devenu un pays sans possibilités ; on y enseignait l'échec, qui les condamnait tous à crever de faim, mal habillés, mal engueulés, mal vus, la conscience grevée par la violence, les mauvais traitements, le père absent, la mère souffrante. Ils étaient foutus, ne sachant comment faire le saut de l'autre côté de la clôture, retenus au milieu des larmes d'impuissance, vivant dans un état de mélancolie alimenté par des chansons tristes qui parlaient des temps anciens, des amours enfuies, des douleurs et de la mort. Ils ne survivaient que pour résoudre le problème de la faim et pour continuer ensuite à ne rien faire, n'ayant rien, n'étant rien.

Pendant que la lutte au quotidien pour un avenir meilleur faisait rage au coin de la rue, le pays changeait, les riches devenaient plus riches, les politiciens saccageaient le trésor public, les enfants grandissaient, devenaient amoureux, se reproduisaient et partaient envahir d'autres lieux pour y construire leur propre *choza*.

Le *barrio* cessa d'être un *pueblo joven*[12] et devint un district, avec maire, régisseurs, argent, projets et ressources. Puis, comme dans toute municipalité nouvellement créée partout dans le pays, la lutte pour le pouvoir commença, et la démobilisation, la violence politique et la fin de l'utopie socialiste finirent par avoir raison de l'organisation communautaire. Celle-ci avait pourtant été la trame d'une histoire collective de lutte sociale, avec ses idées révolutionnaires concernant la gouvernance mais, peu à peu, les voisins et voisines commencèrent à se diviser, créant leurs propres partis et se battant pour l'hégémonie. La démocratie cessa de fonctionner. Les anciens compagnons se mirent à se trahir mutuellement de façon si sournoise et si fourbe que, désespérés, ils se mirent à vendre leurs idées, leurs rêves, leurs aspirations et leurs espoirs au plus offrant ou contre un petit poste dans le gouvernement en place. Lorsque Fujimori arriva, les bras chargés de nourriture, de casseroles et de T-shirts, les gens lui vendirent leur pauvreté. Une guerre s'ensuivit et les leaders de l'opposition furent menacés, poursuivis ou assassinés. Ceux qui le purent s'enfuirent du pays et les autres se cachèrent chez eux. Avec le temps, le travail de dirigeant ne fut plus un service rendu à la communauté ; il perdit même toute l'aura qui accompagnait

---

12. Agglomération formée de familles établies sur des lopins de terre dont elles ne possèdent pas le titre de propriété.

le fait d'être choisi par les voisins. Désormais, personne n'était plus le porte-parole de tous et chacun ne représentait plus que sa propre personne. Être dirigeant devint une profession comme tant d'autres, un poste dans la longue liste des moyens de survivre parmi les squatteurs de tout acabit.

Ce n'était pas seulement la réalité du *barrio* d'Ángel, car l'histoire se répétait partout à la fois, dans d'autres arrondissements, d'autres villes, d'autres régions, des communautés campagnardes, ou dans l'occupation des terrains vacants par les populations. Ce pays était parvenu à se démobiliser, n'ayant plus de représentation citoyenne, il était devenu un pays dépolitisé vivant une crise d'identité profonde.

Puis, la violence politique tomba dans l'oubli. Le gouvernement passa sous silence les recommandations de la Commission de la vérité et de la réconciliation, créée pour rendre justice aux victimes de la « guerre sale ». La délinquance s'installa à coups de fusil, avec encore plus de violence. Le trafic de la drogue se répandit, les kidnappings, les vols et les viols se firent de plus en plus nombreux. Des milliers de jeunes, frustrés de ne pouvoir étudier, travailler ou simplement trouver une place dans la société, s'organisèrent en mouvements de révolte aux appellations agressives et convertirent le voisinage en champ de bataille. Après la danse, la bagarre était leur deuxième activité. La guerre était terminée, mais la peur et la méfiance s'installèrent pour toujours. Pendant que les uns se battaient, les autres volaient et la majorité essayait de survivre au milieu du chaos. Certains pensaient trouver leur salut à l'étranger et y commencer une nouvelle vie.

Ce fut le cas du maigrichon Manuel, le type le plus dégonflé du *barrio,* qui avait décidé d'entreprendre un voyage aux États-Unis.

Un jour, après avoir obtenu son passeport et un faux visa, il se présenta à l'aéroport en souhaitant que ses nerfs ne le trahiraient pas lorsqu'il passerait la douane. Le soir de Noël est l'un des meilleurs moments pour sortir du pays, car les douaniers n'ont qu'une envie, celle de finir au plus vite leur quart de travail pour retourner chez eux, où leurs familles les attendent pour le dîner traditionnel et l'échange de cadeaux, qui couronnent l'effort quotidien de gagner sa vie honorablement. Les vols sont bondés, les gens transportent des valises, des mallettes, des sacs, achètent de tout dans les boutiques hors taxes et le contrôle est beaucoup moins sévère.

Une fois à bord, l'homme assis à côté du maigrichon sortit son portable et se mit à écrire en attendant que l'appareil décolle.

– Où allez-vous ? demanda-t-il à Manuel soudainement.

– À New York, lui répondit Manuel.

– En visite ?

– Oui, non… Oui, en fait…

– Ne vous inquiétez pas, voyons, du calme, je ne suis pas un policier. De plus, cet avion est déjà en territoire américain. S'ils vous ont laissé passer au contrôle de sortie, c'est sûr qu'ils vous laisseront voler jusqu'à Newark.

– Vous croyez ?

– Bien sûr, après tant d'années à voyager, je ne me suis trompé qu'une seule fois.

– Quand ça ?

– Vous voulez que je vous raconte ?

– Oui, s'il vous plaît.

– Eh bien, c'était au cours d'un voyage en Hollande. L'un des sièges avant était occupé par un jeune très sympathique, aussi nerveux que vous. J'ai pensé qu'au contrôle de l'aéroport d'Aruba, où nous faisions escale, on l'arrêterait et on le déporterait vers Lima. Mais nous avons atterri sans problèmes à l'aéroport de Schiphol, à Amsterdam. Après être descendus de l'appareil, nous nous sommes dirigés, avec les autres passagers, vers la douane. Mais soudain, le jeune homme est entré dans les toilettes, alors je suis resté là à observer, certain qu'il allait être découvert. Plusieurs minutes s'étaient écoulées pourtant, et il ne sortait toujours pas. « Il a dû se cacher », ai-je alors pensé. Je m'apprêtais à poursuivre mon chemin quand une impressionnante mulâtre est sortie des toilettes ; elle était très belle et très aguichante, avec une chevelure de jais vaporeuse, des chaussures à talons hauts qui soulevaient un petit cul bien rond, des seins de cinéma et un maquillage à tout casser. J'en suis resté littéralement gaga et je n'étais pas le seul. Tous les autres hommes dans les files d'attente et même les fonctionnaires de la douane se sont enflammés devant un pareil spécimen féminin. Quant à elle, c'est avec un sourire aux dents parfaites qu'elle leur a fait face en se balançant comme une déesse antillaise. Ceux qui étaient au premier rang lui ont bien sûr cédé leur place. C'est à peine si les douaniers lui ont posé les questions d'usage. Je suis sûr que certains sourires complices étaient dus au fait qu'ils la connaissaient. Je l'ai suivie, désespéré, pour constater qu'à la porte, une limousine attendait notre beauté tropicale. C'est la seule fois où je me suis trompé.

— C'est très drôle, dit le maigrichon en riant.

— C'est la première fois que vous voyagez, non ? lui demanda l'homme.

— Oui, et je suis un peu inquiet.

– Tranquillisez-vous, jeune homme. Ça me rappelle qu'il y a vingt ans, j'ai quitté le pays en me jurant de ne jamais plus revenir. Maintenant, regardez-moi, j'y reviens chaque année. Pourtant, j'avais si peur cette fois-là que je suis arrivé à l'aéroport quatre heures avant le départ. On m'avait raconté tellement d'histoires : qu'on te fouillait jusque dans le caleçon, qu'on te volait des affaires, qu'on mettait même de la drogue dans ta valise pour te soutirer de l'argent. Donc, tout ce que j'avais apporté cette fois-là, c'était un sac de voyage contenant un pantalon, une chemise et une veste. Cela devait être plutôt cocasse que de me voir déambuler dans l'aéroport de Miami vêtu d'un jogging thermique et chaussé d'espadrilles, portant mon sac de sport. J'étais terrifié, car jamais je n'avais voyagé en avion et le pire, c'est que je me suis perdu dans cet édifice monstrueux. J'étais parti d'un *pueblo joven* et j'avais atterri directement sur les plages de Miami. Imaginez !

– Bien sûr que je m'imagine, je viens de Villa el Salvador.

– C'était évident, mon ami. Combien y a-t-il d'individus issus des *barrios* qui sont répartis dans le monde, croyez-vous ?

– Je n'en ai aucune idée.

– Écoutez : il y a au moins deux millions de Péruviens qui ont émigré depuis une dizaine d'années et la plupart d'entre eux viennent d'un *barrio*. On les appelle les « immigrants économiques ».

– Et vous, vous faites quoi ?

– Je vis maintenant le rêve américain. Je possède une entreprise qui propose des services divers, comme des services de charpentiers, de gaziers, de tourneurs, de soudeurs, de mécaniciens et de serruriers. Je suis capable de trouver une solution à tout problème technique, là-bas. Savez-vous que les Américains ne veulent plus exercer ce genre de métiers-là ? Un plongeur gagne cinq dollars l'heure, mais un gazier en gagne facilement quarante. Parfois, il faut planifier des rendez-vous des semaines à l'avance. Ces techniciens des services intermédiaires sont très bien payés.

– C'est bon à savoir.

– Oui, car je vais à Lima une fois par année pour choisir de jeunes entrepreneurs à qui je paie le voyage pour qu'ils viennent travailler pour moi. Plus tard, ils créent leur propre entreprise.

– Vous écrivez, aussi, dit le maigrichon en indiquant le portable.

– Oui, de petites choses personnelles, des souvenirs. Qui sait si je ne les publierai pas, un jour.

Le départ fut annoncé et ils s'installèrent confortablement. L'homme ouvrit un livre et se mit à lire pendant que le maigrichon s'endormait profondément. À son réveil, quelques heures après, son voisin tapait sur son ordinateur, l'air ému.

– Salut, qu'est-ce que vous êtes en train d'écrire ?

– Quelque chose qui m'est passé par la tête pendant qu'on placotait.

– On peut lire ?

– Écoutez, plutôt : « Dix conseils pour ceux qui partent – 1. Pense que tu pars définitivement ; 2. Ne fais pas de comparaisons ; 3. Accepte la solitude ; 4. Ne fais pas de comparaisons ; 5. Repars à zéro ; 6. Ne fais pas de comparaisons ; 7. Attends-toi toujours au pire ; 8. Ne fais pas de comparaisons ; 9. Profite de toutes les opportunités ; 10. Ne fais pas de comparaisons. »

– Pourquoi insistez-vous tant à dire « ne fais pas de comparaisons » ? demanda le maigrichon.

– Parce que si tu en fais, tu te goures. Où que tu ailles, tu trouveras que tout est différent. Il n'y a rien de semblable à ton pays, ta culture, ta cuisine, ta famille, ton *barrio,* tes amis. Lorsque tu pars, tu dois cesser de penser à tout cela parce que tu dois te construire une vie différente, nouvelle, loin de la source qui t'a alimenté pendant si longtemps. C'est très difficile et c'est pour cela que tant de gens n'y arrivent pas. Ils partent, mais à peine arrivés, ils passent leur temps à désirer retourner chez eux, ce qui fait qu'ils ne s'impliquent pas, n'apprennent pas la nouvelle langue, ne s'intègrent pas à la nouvelle société. Ils flottent toujours dans les nuages, rêvant à leur retour, s'ennuyant de leur famille, leur fiancée, leurs frères et sœurs et de leur *barrio*. Ils pensent sans cesse à leur équipe de foot, à l'entreprise qu'ils vont créer lorsqu'ils auront économisé suffisamment d'argent. Ils inventent n'importe quelle niaiserie pour pouvoir téléphoner ou écrire à leurs proches et se désespèrent de recevoir de leurs nouvelles ! Il est très difficile d'arriver à comprendre que nous sommes de passage, quittant la sécurité du monde connu pour de nouvelles conditions où nous pourrons survivre. Comprenez bien ceci : nous commençons à émigrer dès le commencement de notre vie, tout d'abord depuis le ventre maternel jusqu'au monde réel. Nous passons par différentes étapes de croissance physique et mentale, nous émigrons de notre domicile, de notre *barrio,* de notre école, de notre famille à la vie de couple, de notre pays, de notre culture, de nos croyances, de nos valeurs, jusqu'à ce que finalement nous émigrions vers la mort. Ceux qui croient en la réincarnation continueront à émigrer vers les différents paliers. Quant aux autres, ils se convertiront en bouffe à lombrics ou en nutriments de plantes. Ceux qui croient en Dieu iront au ciel et ceux qui n'y croient pas iront où ils veulent et ce sera plus drôle. C'est pour cela que je mets en garde contre les comparaisons… Prenez cela en considération, montrez-vous sûr de vous et confiant, faites comme les comédiens, qui sont les champions de la transformation et de la dissimulation, et ensuite, tout sera plus facile.

Il avait bien raison. Il fallait avoir du sang-froid, il fallait maîtriser son langage corporel, transmettre la paix et la tranquillité avec le regard et alors les choses couleraient d'elles-mêmes. Riche de ces conseils, passer à la douane et à l'immigration en arrivant aux États-Unis ne fut pas un drame pour Manuel.

En sortant de l'aéroport, il ressentit une sorte de libération. Il avait tout mémorisé à la perfection. Il lui fallait prendre le bus jusqu'à la 42ᵉ Rue, à l'angle de Park, à Manhattan, ensuite la ligne numéro 7 de couleur mauve jusqu'à Queens et descendre au 82 de la rue Jackson Heights. Pourtant, le démon de la curiosité vint le tourmenter et là, au milieu des édifices de la ville mythique qu'il avait vue dans tant de films, il voulut marcher, il voulut sentir pleinement qu'il se trouvait au cœur de l'Amérique, il voulut monter au sommet de l'Empire State Building, contempler Times Square, ce carrefour si fameux, et ce fut donc à pied qu'il entreprit son périple. Il resta un bon moment à regarder les jeux de lumière des enseignes au néon, tout à côté d'un gigantesque écran où des bandes publicitaires défilaient. Ensuite, il entra dans le quartier et remonta la Cinquième Avenue jusqu'à Central Park. Comme il avait faim, il découvrit un peu plus loin une petite rue où se trouvaient plusieurs restaurants. Il entra dans celui qui se nommait *La Fiesta,* où les plats en montre dans la vitrine lui semblaient alléchants.

Après avoir mangé quelques tacos, il se rendit aux toilettes et vit, par la porte arrière, une table où trois soûlons étaient en train de se partager une bouteille de tequila tout en conversant au son de la musique d'une radio. Il s'approcha et s'assit avec les Mexicains en train de faire la fête et, une fois de plus, il fut trahi par l'alcool. Il s'était dit qu'il ne prendrait qu'un verre ou deux de tequila pour célébrer son triomphe. Il était entré aux États-Unis, il devait donc trinquer à ça. D'ailleurs, toutes les raisons sont bonnes pour trinquer. Le maigrichon venait de mettre son ange gardien à l'épreuve, lui qui le veillait si souvent. Il avait survécu en dépit de tout, il aurait pu mourir, avoir un accident, se faire agresser ou même tuer, mais malgré ses soûleries, il parvenait toujours à l'endroit voulu. Il savait qu'il avait un problème d'alcool, comme en avaient également souffert son père et son grand-père, mais jamais il ne l'avait pris au sérieux, jamais il ne l'avait assumé.

Maintenant, la lumière du soleil l'aveuglait. Sa tête gisait sur le sable brûlant. Il avait les lèvres sèches et dans la bouche le goût amer de ses vomissures. Son cerveau semblait vouloir éclater. Il lui fut difficile de se relever. Il ne reconnaissait pas l'endroit où il était, et ne se rappelait pas non plus comment il y était arrivé. Il n'avait plus rien. Ses poches de pantalon avaient été retournées, il n'avait plus que les vêtements qu'il portait, pas d'argent, pas de passeport ni visa, rien.

À l'arrivée du fourgon de police, il ne put s'expliquer, il ne put même pas se défendre en racontant l'histoire qui lui était arrivée. Les *gringos* le relevèrent, l'emmenèrent dans une cellule· puis l'expulsèrent à bord de l'un des avions toujours prêts à renvoyer chez eux les Mexicains, les Centroaméricains, les Péruviens ou tout individu tentant comme lui de franchir la frontière illégalement.

Le retour fut difficile, le pauvre Manuel arriva chez lui la queue entre les jambes. Il se sentait très mal, il avait honte d'avoir été aussi con. Personne ne devait revenir de cette manière. Celui qui partait le faisait définitivement et s'il revenait, c'était qu'il avait de l'argent, des enfants *gringos,* une épouse *gringa* et il était en mesure d'organiser une gigantesque fiesta où tous les voisins danseraient, trinqueraient et s'amuseraient en célébrant le triomphe de l'un des leurs dans le monde développé, pour continuer à alimenter la légende.

Revenir en traînant une valise plus vieille que Mathusalem dans un minibus détraqué, avec cinq soles en poche et pas même une photo qui prouverait son aventure aux États-Unis fut très humiliant, mais ce qui provoqua le plus sa colère, c'était qu'il avait été expulsé de l'intérieur du pays. Toutes ses coordonnées avaient été enregistrées dans l'ordinateur du fonctionnaire qui l'avait rencontré à l'aéroport, là-bas, et qui l'avait laissé entrer, mais on ne lui permit pas de s'expliquer ni de se défendre après l'incident. Il avait voulu faire le con et sa connerie ne lui avait même pas laissé le temps de se rendre jusqu'au premier coin de rue.

Le pire, ce ne fut même pas toute cette putain de façon d'avoir échoué, ce fut plutôt la *fête* qu'on lui fit subir lors de son retour au *barrio.* Longtemps, le pauvre maigrichon dut encaisser les blagues, la rigolade et les moqueries de ses amis. Ángel dut même se battre afin que les autres cessent de se moquer de lui. Le *barrio,* c'était un bon endroit pour vivre, mais il pouvait aussi devenir un enfer…

* * *

Jamais Maki n'aurait pu avoir plus de chance que le jour où, entrant dans une taverne pour prendre un verre et essayer d'oublier pendant quelques minutes sa condition de poursuivi, il se trouva face à face avec le politicien qui l'avait placé dans cet imbroglio de merde. C'était l'homme qu'il n'avait pas réussi à tuer. Le coupable de sa malchance, victime de ses vices, se trouvait là, à portée de fusil. « *Une fois que le chien est mort, c'en est fait de la rage* », *c'était bien la phrase que Mac Arthur lui avait murmurée avant que ne commence l'enfer de coups de feu, à Miami, dans le bar de Constantino.*

À moitié ivre, le type se promenait entre les tables en payant des bières, annonçant à tue-tête sa candidature prochaine, et incitant ses compatriotes à voter pour lui et à solliciter leurs proches pour qu'ils fassent de même là-bas, au pays. Immédiatement, Maki pensa à provoquer une bagarre d'homme à homme, à l'envoyer en enfer en lui enfonçant son couteau dans le corps, mais le bar, encore une fois, était probablement plein de ses gardes du corps. « *Il vaut mieux que je l'attrape quand il se rendra aux toilettes* », *pensa-t-il. Si tout allait bien, le démon de la mort devrait patienter jusqu'à ce que Maki meure de sa belle mort.*

Les bouteilles circulaient et les sentiments et les émotions s'épanouissaient puisque, entre hommes, l'une des vertus de l'alcool est de les libérer : les accolades, les embrassades et les sempiternelles phrases : « *Je t'aime, je te respecte, tu es mon frère de sang* » *se multipliaient. Pendant que la cuite générale avançait sur ce mode, Maki observait ceux qui se mettaient à tituber et devenaient de plus en plus joyeux ou, au contraire, agressifs. Il pensa à sa propre histoire. Il y avait longtemps qu'il ne s'enivrait plus et il avait beaucoup travaillé pour apprendre à se maîtriser, mais, de temps en temps, cela lui manquait ; c'était agréable de sentir l'alcool produire son effet, entrer dans son sang pour le contaminer pendant que la joie, le désir de rire, d'être heureux l'envahissaient.*

Que faisait donc ce couillon par ici ? Il était probablement venu assister à un quelconque congrès politique de son parti, car les puissants du pays aimaient bien passer du temps aux États-Unis. Les riches se sentaient gringos, *même s'ils ne le seraient jamais vraiment. Ils s'achetaient des appartements à Miami ou dépensaient tout l'argent des pauvres dans les boutiques de la Cinquième Avenue, au cœur même de la Grosse Pomme. Combien d'hôpitaux, d'écoles, de logements, de routes et de terrains de jeux auraient pu être construits avec l'argent que volaient les mafieux du gouvernement intérimaire ! Combien de personnes auraient pu recevoir une bonne éducation, des soins médicaux, une retraite ou un salaire en toute dignité ! Les politiciens corrompus considéraient le pays comme leur propre ferme. Ils cherchaient désespérément dans les ministères les moyens de se remplir les poches de pots-de-vin ! Ils vendaient les compagnies de l'État au plus offrant ; une fois les concessions des travaux publics attribuées, ils se répartissaient l'argent acquis grâce à la surévaluation des coûts, au gonflement du personnel, à l'achat de matériaux de basse qualité et à l'évasion fiscale, créant ainsi encore plus de misère et chargeant toujours du poids des problèmes les plus faibles, les pauvres, ceux qui pour eux n'étaient rien !*

La taverne était située dans le ghetto. Les gens qui la fréquentaient répétaient les mêmes histoires jusqu'à la nausée, en les enjolivant ou même en mentant. En majorité, ils étaient des immigrants économiques et ils ne voulaient que de l'argent. La culture, l'art ou la langue du nouveau pays ne les intéressaient pas. Ils créaient des barrios *complets où ils installaient leurs commerces, où l'on parlait l'espagnol, où l'on mangeait son* pollo a la brasa[13] *et où l'on trouvait tous les produits nationaux, depuis les journaux jusqu'à la bière.*

Après un long moment, le sujet se dirigea enfin vers les toilettes. Maki vérifia le pistolet. Il était prêt. Il mit en place le silencieux, marcha lentement en gardant une distance, tranquille, en parfait contrôle de la situation.

Mourir alors que l'on est en train de déféquer est une façon absurde et plutôt ridicule de quitter ce monde. Avec ses pantalons baissés, le type ferait le régal des photographes des journaux jaunes. Il était tellement soûl qu'il ne se rendit même pas compte de ce qu'il lui arrivait. Le claquement sourd de la balle frappa l'os, le pénétra et provoqua une explosion percutante. La tête rebondit contre la majolique et la cervelle se répandit sur tout le mur. Maki s'assura qu'il était bien mort, car il ne pouvait commettre une seconde erreur. Il avait bloqué la porte des toilettes avec une vieille chaise en bois.

Il sortit par la petite fenêtre qui donnait sur la rue et prit le premier taxi qu'il trouva pour se rendre à la gare. Il acheta un billet de train en direction d'une ville éloignée. Peut-être que lorsqu'il achèterait le journal le lendemain matin, la nouvelle apparaîtrait à la une et alors, enfin, la persécution prendrait fin.

* * *

Les choses étaient devenues de plus en plus difficiles à la maison de repos, car l'infirmière folle n'accordait aucun répit à Ángela et au Colorado. Elle avait déclaré une guerre sainte à ces

---

13. Plat de poulet typique de la gastronomie péruvienne.

insolents qui venaient lire des âneries au pauvre malade, qu'ils excitaient pour repartir satisfaits, si amoureux. Elle les détestait parce que c'était à elle qu'incombait la tâche de négocier ensuite avec le dingue, qui gambadait d'un côté et de l'autre en hurlant des conneries par dizaines.

Ils finirent cependant par obtenir l'autorisation de venir ensemble tous les après-midi. Le Colorado poursuivit donc la lecture du roman, mais la vieille l'interrompait sous divers prétextes, faisant son entrée dans la chambre avec un sourire qui ressemblait à une grimace :

– Salut ! C'est l'heure de la pilule, alors là, Ángelito, assieds-toi, mon amour, prends ta petite pilule, la petite rose et la bleue, voiiiilà ! Et maintenant, bois ton petit jus et repose-toi parce que tu le sais, je reviendrai dans une heure pour changer tes petits vêtements !

Elle ressortait en riant sous cape et le Colorado voulait l'étouffer. Ángela s'amusait en voyant comment, peu à peu, la femme le faisait sortir de ses gonds.

Ángel était heureux de ces visites, il se pomponnait et faisait des efforts pour être attentif et pour comprendre, mais la question commençait à flotter dans l'air : qu'arriverait-il quand ils auraient fini de lire le roman ?

* * *

Il n'y eut pas de nouvelles dans les journaux ni à la télévision, pas même sur Internet. Personne ne parla de la mort du politicien le plus influent du Pérou dans un bar mal famé, comme s'il n'avait jamais existé. Peut-être voulait-on liquider les comptes bancaires, faire disparaître des bandes vidéos et des photos compromettantes, éliminer des preuves qui impliquaient d'autres personnes en lien avec la mafia. Ou peut-être se donnait-on du temps pour nettoyer la scène et annoncerait-on plus tard qu'un infarctus l'avait foudroyé pendant son sommeil.

Maki n'attendit plus, il prit l'avion pour retourner dans l'île. Maintenant, il avait de l'argent et, comme il en avait fini avec le travail pour lequel il avait été poursuivi, il était certain que plus personne ne le rechercherait à présent. Enfin il pouvait jouir de la mer verte et tranquille ; il était amoureux de ce coin du monde depuis qu'il avait passé deux jours à La Havane à cause d'un ouragan. Il se baignait dans la mer, entouré de coraux, il regardait les touristes sortir des hôtels pour venir s'étendre, la panse en l'air, chacun avec son verre de rhum à la main, sa serviette de plage aux couleurs criardes et son corps satisfait. Tous des obèses rougis par le soleil.

Il s'installa dans la zone des ambassades, car c'était un endroit tranquille qui devenait chaud les samedis soirs seulement, lorsque les jolies filles marchaient sur la promenade au milieu de la Cinquième Avenue, cherchant à attirer l'attention avec leurs corps souples et leurs robes ajustées. Il s'assoyait alors sur son balcon avec une bonne quantité de bières Bucanero en canette et passait des heures à regarder les jeunes beautés. Ce fut précisément l'une d'elles qui l'entraîna vers la fin absurde de son histoire : une très jolie fille aux grands yeux noirs, à la peau couleur cannelle et aux cheveux bouclés, lustrés et fins. Elle ressemblait tellement à la Bella qu'elle aurait pu passer pour sa jeune sœur. C'était pour cette raison, pour cette seule raison qu'il avait perdu la tête au point de s'engager dans une aventure. Il l'avait rencontrée alors qu'il flânait sur l'une des places de La Havane. Elle se tenait au milieu des groupes de touristes qui tentaient d'entrer à la Bodeguita del Medio *pour prendre un* mojito, *le cocktail classique qu'un écrivain fameux avait fait concocter pour ses petites soirées entre amis alors qu'il était heureux et méconnu, et que tout le monde buvait, sans raison et sans plus de sentiment. Les touristes japonais entraient dans le bar, en faisaient le tour en regardant les murs couverts de photos du temps de la révolution, vidaient rapidement leur verre et ressortaient, satisfaits.*

Maki marchait depuis des heures dans les petites rues pavées, regardant les vieilles maisons restaurées, remises en état, les vieux magasins, les boutiques et les maisons bourgeoises transformées en restaurants, en hôtels ou en musées. Il l'aperçut soudain, par un après-midi accablant de soleil, vêtue de blanc, immaculée et fraîche. Il ne put la quitter des yeux pendant tout le temps qu'elle resta là, à écouter un groupe de vieux musiciens qui chantaient des mélodies dans le style du Buenavista Social Club, *pendant qu'un autre vieux, qui ressemblait à Beni More et était habillé comme lui, dansait au rythme d'une rumba. Leurs regards se croisèrent dans un silence, la mulâtre sourit et l'homme sentit un coup de foudre lui traverser le cœur sans pitié. Il la suivit jusqu'à ce qu'ils sortent de la zone touristique, où les échanges entre Cubains et étrangers y étaient presque interdits ; la police surveillait les* jineteras, *comme on appelait les filles qui se vendent, afin qu'elles ne partent pas avec les* gringos. *En empruntant les petites rues du centre, l'on pouvait converser, prendre un café, aller se balader sur le Malecón pour regarder le coucher du soleil, et ensuite aller danser.*

L'attention de Maki avait été attirée par les bijoux de la fille, qui la faisaient ressembler à une Gitane. Ses doigts étaient

couverts de bagues et aux poignets, elle portait une véritable
collection de bracelets, au point qu'il était impossible aux gens
de ne pas se retourner pour la regarder, avec tout le tintamarre
qu'elle produisait en marchant.

Alors que Maki se sentait enfin en sécurité et qu'il commençait
son histoire d'amour avec la mulâtre, Azul de son côté ne perdait
pas de temps et la Bella le découvrit un jour debout à côté de
l'escalier de son appartement, à proximité de Central Park. En
le voyant, elle se figea au beau milieu du passage.

– Salut, j'ai cru que je ne te reverrais jamais, dit Ana María,
qui maintenant n'était plus aussi jeune.

– Tu es jolie.

– Ne sois pas méchant, tu dis ça seulement pour me faire
plaisir. Comment m'as-tu retrouvée ?

– Un de mes amis a obtenu ton adresse grâce à ton frère.

– Ah bon ! Je savais bien que ce con-là allait me trahir un
jour !

– Où est Maki ?

– Tu ne le sais pas ? Alors, inutile de me le demander, car je
ne te dirais rien même si je le savais.

– Bon, oublie ça. Je ne suis pas venu pour me disputer avec toi.

– Tu veux entrer ?

– Oui.

Elle lui prépara un café, un cortadito, comme il l'aimait.
Azul étudiait l'appartement, les objets qui se trouvaient sur les
meubles, les photos sur le mur, les affiches, les livres, les films
empilés sur le lecteur de vidéos près de la télé, recherchant tout
signe qui pourrait lui donner une piste. La Bella entra dans sa
chambre pour changer de vêtements et alors qu'elle se trouvait

à moitié nue, l'homme entra. Nullement étonnée, elle le défia du regard.

— Je voulais seulement voir ces beaux seins-là de nouveau.

— Viens vite, embrasse-moi, répondit-elle en souriant.

Le baiser fut long, passionné, délicat.

— Fais-moi l'amour, murmura-t-elle à l'oreille d'Azul.

Il ne put résister. Pendant tout le voyage, il s'était dit qu'il ne s'abandonnerait pas à la tentation. La Bella n'était pour lui que le chemin qui le mènerait à l'ancien amant de cette dernière, mais ce corps qu'il avait jadis connu à la perfection dégageait toujours une odeur de cannelle qui le surprenait encore, qui le grisait. Pendant des années, en regardant le va-et-vient de la mer, il avait rêvé de ces yeux-là, de ces lèvres, de l'odeur de ses cheveux, de la chaleur de la Bella, de la saveur de son sexe humide. Il avait cru que jamais plus il ne toucherait à cette peau, qu'il n'en vivrait plus jamais que le souvenir, mais il s'était trompé. Ils commencèrent à se dévêtir, se reconnaissant l'un l'autre. Beaucoup de temps s'était écoulé, mais on dit que le corps possède sa propre mémoire et les leurs se réveillèrent d'un long sommeil.

— Je ne peux pas, dit Azul en pointant la cicatrice de la blessure par balle près du cœur.

La femme comprit immédiatement, puis elle le fit doucement s'étendre sur le lit et commença à le caresser, avec le bout des doigts. Il s'abandonna aux sensations qui venaient par vagues. C'était elle qui menait le bal à présent.

— Lentement, je t'en prie, lui dit Azul dans un souffle.

Alors la femme monta sur lui et le chevaucha tout en le caressant avec ses seins, en bougeant lentement. Puis, elle plaça son sexe à la hauteur de la bouche de l'homme qui, avec la pointe de sa langue le parcourut avec délicatesse, intensifiant le mouvement jusqu'à ce que la femme se raidisse et s'abandonne à un violent orgasme.

Étendue sur la poitrine d'Azul, elle sentait son cœur battre avec force. Elle prit son pénis entre ses lèvres et le caressa. De temps en temps, elle levait le regard sur le visage de l'homme, perdu à l'intérieur de lui-même, dans un mélange de plaisir et de douleur. Le sentant au bord de la jouissance, elle le chevaucha de nouveau en un rythme lent jusqu'à ce qu'il explose en elle, chaud et féroce.

Peu à peu ils à se détendirent, couchés l'un contre l'autre, et s'embrassèrent.

– Je voulais te rembourser pour ce que tu m'as enseigné, dit la femme avec un grand sourire.

– Merci, ce fut merveilleux, répondit le Mécanicien en l'embrassant de nouveau sur les lèvres.

– Et maintenant, en quoi t'es-tu déguisé ?

– En retraité malade. J'ai laissé le Mécanicien là-bas, au Québec. C'était le personnage que j'aimais le plus, mais il s'est brûlé. Un jour, la police a commencé à le soupçonner, alors j'ai quitté l'appartement avec le peu que j'avais. J'ai donné le chat et je me suis converti en autre chose. Cette couverture a été agréable, puisqu'elle m'a permis de te connaître.

Il se leva pour aller boire un verre d'eau, et vit sur la table de nuit une pièce de monnaie sur laquelle étaient gravés le visage du Che Guevara et la phrase suivante : « La patrie ou la mort ». C'était une pièce que l'on ne pouvait se procurer qu'à Cuba et qui était remise comme souvenir aux touristes.

Au moment de sortir de la cuisine, il sentit une douleur jaillir dans sa poitrine et, comme un coup de poing, elle lui coupa le souffle. Il s'assit en cherchant à maîtriser sa respiration, tentant de relaxer son corps pour dissimuler son état. .

— Tu dois t'en aller, maintenant, dit Ana María en entrant dans la cuisine.

— Où est Maki ? insista-t-il.

— Je ne sais pas. Il est parti et je n'ai plus entendu parler de lui. Cette histoire est terminée. Maintenant, je suis bien, j'ai un mari et deux enfants merveilleux qui doivent arriver d'un moment à l'autre. Si tu veux, laissons les choses comme elles sont, c'était magnifique et maintenant nous sommes quittes, dit la femme.

« Elle ment, je peux encore voir quand elle ment », pensa Azul en regardant ses beaux yeux. Il prit congé d'elle en une longue étreinte, descendit l'escalier et marcha un moment dans la fraîcheur du soir. Il arriva près d'une cabine téléphonique, chercha dans le bottin et signala un numéro :

— Allô, mademoiselle, je voudrais savoir s'il y a un vol pour La Havane ce soir ?

* * *

Tôt un matin, l'infirmière dingue fut remplacée. La veille, elle s'était bagarrée de façon totalement inopportune avec le Colorado qui, lassé et exaspéré, s'adressa directement au directeur de la maison de repos avec une requête :

— Docteur, j'aimerais que vous me fassiez une faveur : pourrions-nous remplacer l'infirmière qui s'occupe de mon ami, monsieur Ángel Morales ?

— Vous désirez porter plainte ?

– Non, je pensais engager une infirmière privée et je ne voudrais pas que la dame en soit mal à l'aise.

– Mais pourquoi n'utilisez-vous pas votre argent pour quelque chose de plus productif et ne le ramenez-vous pas avec vous ?

– Je le pourrais ? Je croyais qu'il ne pouvait pas sortir.

– Écoutez, il le pourrait s'il était surveillé, c'est-à-dire si vous vous assuriez qu'il prenne bien ses médicaments, qu'il soit bien alimenté et veillé. Vous savez qu'une personne schizophrène peut vivre presque normalement. Votre ami n'est ni un assassin ni un désaxé. C'est un homme confus, mais qui n'est pas confus par les temps qui courent ? Dans cette ville, il y a deux cent mille schizophrènes qui se promènent et la majorité d'entre eux ne savent même pas qu'ils le sont. Si vous voulez le prendre en charge, je vous préparerai une autorisation. Maintenant, le problème est de savoir s'il voudra partir. Allez-y, convainquez-le et nous nous arrangerons. En attendant, je vais envoyer mademoiselle Margarita travailler dans un autre pavillon, comme ça, tout le monde sera content, tout le monde sera heureux, dit le directeur dans un grand soupir.

L'écrivain sortit aussitôt pour aller communiquer la bonne nouvelle à l'intéressé et le trouva en train de tourner en rond dans la cour. Ángel le vit, l'étreignit et commença à lui dire :

– Tu sais quoi ? J'ai pensé à mon vieux, à l'homme, à l'être humain qu'il était, te rappelles-tu que chez moi on disait : « Les hommes ne sont jamais fatigués, ils ne se plaignent jamais, ils ne sont jamais malades et ne pleurent jamais ! » C'était comme notre maxime quotidienne. C'étaient là nos principes. C'est ainsi que l'on nous a éduqués depuis tout petits, en tentant de ne jamais trahir ce code. Mais j'ai découvert que, comme plusieurs autres choses dans notre vie, ce n'était pas ce qui arrivait. Il suffisait de voir mon père s'aplatir devant ma mère ! Il devenait faible, désemparé, hébété, alors qu'il était tout différent, un type lutteur et hardi qui bossait comme un fou pour faire vivre la famille et qui riait en dépit de tout. Peu à peu, je me suis rendu compte que tous les hommes qui m'entouraient, grands-pères, oncles, cousins, frères ou amis, tous se retrouvaient toujours convertis en esclaves des caprices et des idées des femmes qui entraient dans leur vie. J'ai alors su que c'était là notre peine, c'est-à-dire celle de vivre en dominés, en esclaves de nos hormones. Les femmes nous contrôlaient par les sentiments, les émotions et le sexe, et en échange de leurs caresses, nous hypothéquions nos chances. En fait, elles commencent par nous héler du doigt, puis elles nous traînent ensuite pour la vie, attrapés par la queue. T'es-tu rendu compte que nous cherchons toujours leur approbation ? Depuis tout petits, nous faisons des choses pour que notre mère nous dise : « Qu'il est mignon ! » « Comme il est intelligent ! » pour qu'elle nous récompense par un baiser ou une caresse. Plus tard, nous répétons la même histoire avec nos femmes, qui doivent pouvoir apprécier que nous fassions preuve de force, de détermination et d'audace. Nous nous inventons en tentant de les convaincre qu'elles se sont éprises du plus osé, du plus vaillant, du plus extraordinaire, de celui qui a réussi à battre tous les autres. Mais en réalité, ce n'est rien de plus qu'une pose, un déguisement, nous ne sommes qu'une bande de braillards incapables de supporter la douleur, émotionnellement dépendants, prêts à n'importe quelle stupidité pour ne pas rester seuls. Tout est différent lorsque tu n'as plus peur de la solitude, de la mort, quand tu acquiers la certitude qu'il n'y a plus rien, qu'il n'y a pas de satisfaction possible, que rien ni personne n'arrivera jamais à remplir ce vide que tu portes en toi. Il ne reste plus qu'à vivre avec les autres et comme les autres, et à avoir le courage de choisir où et quand tu te tireras une balle pour gagner la course contre la Camarde...

– Aimerais-tu partir d'ici ? demanda le Colorado en l'interrompant.

– Es-tu en train de te foutre de ma gueule ? répondit Ángel.

– Non, mon vieux, je parle sérieusement. Nous en avons discuté, Ángela et moi, et nous aimerions que tu viennes avec nous.

– Où ça ? C'est vrai ? Je peux partir ?

– Oui, tu vas partir. On va te faire sortir d'ici.

* * *

Les tambours invoquaient Chango, un Orisha de grande importance, dieu du feu, de l'éclair, du tonnerre, de la guerre, de la danse, de la musique et de la beauté virile. Le Patron des guerriers et des tempêtes.

La santería[14] *est encombrée, car elle possède des centaines d'images, de dieux et de rites mais, pour une raison étrange, l'agresseur savait que lorsque résonnaient les tambours* batá, *c'était pour convoquer Chango. Les percussions s'unissaient au vacarme de l'orage, une pluie torrentielle battait le trottoir, traînant la poussière, la terre et les feuilles des arbres. On entendait au loin gronder le tonnerre pendant que le vent soufflait avec ardeur. L'homme qui remontait la rue retenait avec peine son manteau de cuir. Un peu plus loin, dans la chambre d'un*

---

14. Boutique d'objets religieux.

solar, *enlacé à la fille, Maki dormait du sommeil du juste, des gens heureux, de ceux qui avaient été satisfaits par l'amour et qui se sentaient l'âme en paix.*

Azul savait exactement où il devait aller. Il monta par la 23ᵉ Rue jusqu'à la hauteur de 0, entra en diagonale vers l'avenue Calzada de Infantas en passant par la porte de l'Université de La Havane, face au parc Julio-Mella. Il y avait là un monument qui ressemblait à une sorte de losange sur la plaque duquel il réussit à lire malgré la pluie :

« Ce n'est pas une utopie pour les fous ou pour les fanatiques que de lutter pour la révolution sociale en Amérique, c'est lutter pour le prochain pas en avant dans l'Histoire. »

Il arriva enfin à la maison qui portait le numéro 22. Il entra dans le petit passage, sortit le pistolet de la doublure de sa veste, posa le silencieux et monta l'escalier étroit, étage par étage, avec prudence, regardant dans les courbes, observant les recoins. La porte de la chambre était à demi ouverte, il poussa et rien n'arriva, alors il entra lentement. Sur le lit, une magnifique mulâtre le fixa et lui dit dans un murmure :

– Il n'est pas là, cela fait un moment qu'il est parti.

Une rafale de vent ouvrit d'un coup une des fenêtres et la musique entra brusquement dans la pièce.

La fille se leva lentement, sensuellement, et Azul commit une grave erreur en la regardant, diverti par la vision du corps merveilleux qui s'offrait à lui. Il promena son regard sur ses cuisses, ses seins, son visage. C'est alors que la chaise frappa directement la main avec laquelle il empoignait son arme. Il ressentit une douleur d'os fracturé et lâcha le pistolet, qui tomba sur le plancher. Un poing chercha son visage et le genou de son rival l'atteignit au creux de l'estomac. Il ne réussit qu'à l'enlacer, car les deux lutteurs s'assenaient des coups aveugles, chacun cherchant le visage de l'autre ; on aurait dit une lutte d'ours domptés. Maki criait :

— Le pistolet, prends le pistolet et donne-le-moi, bordel !

Mais la pauvre fille était pétrifiée par la peur. Azul frappa Maki à l'entrejambe, et réussit à se libérer de la prise. Une fois séparés ils restèrent là à se regarder dans les yeux.

— Qu'est-ce qui te prend, merde ! J'en ai fini avec le travail, souffla Maki.

— Ça ne me regarde pas. Tu as échoué et avec toi, d'autres gens se sont noyés. Tu t'en sortais bien et tu as tout fait merder.

Le couteau traversa toute la chambre et entra proprement dans la jambe du vieux, qui cria de douleur. Le jeune sauta sur lui et le saisit par le cou.

Ils se poussèrent ainsi jusqu'à la fenêtre. Au milieu du vacarme des tambours et de la pluie, la fille criait. Enlacés, les deux hommes tournoyaient comme une vrille, chaque fois plus près du vide, comme en une danse, comme en un ballet, puis les peaux des tambours batá *cessèrent de vibrer pendant que les deux hommes tombaient du balcon, l'un entraînant l'autre, et leurs corps allèrent s'écraser dans la rue. Les gens s'approchaient. Déjà, quelqu'un commençait à raconter l'histoire d'un étranger qui venait de se tuer pour l'amour d'une belle mulâtre. Azul sentait la balle chercher son cœur pendant qu'un courant d'air froid parcourait son corps. Il se relaxa, il avait sommeil. Il ferma les yeux parce que la douleur s'en allait déjà. C'était la mort qui l'emportait. Alors il pensa à sa vieille, au* barrio, *à sa bande de fanatiques de foot, à la Bella, à son passé, à son présent, il pensait*

qu'il ne voulait pas mourir, qu'il voulait vieillir au bord de la mer,
il lui vint mille autres pensées et il s'en fut dormir pour l'éternité.
  Maki se leva lentement, l'âme douloureuse.
  La pluie avait cessé, les tambours recommencèrent à résonner,
le rythme appelait la rumba et le ciel changeait de couleur pendant
que la nuit tombait sur La Havane.

* * *

Le complet et les chaussures lui donnaient une nouvelle
apparence. Il était rasé de près, peigné et propre. Il marchait
lentement, traversant les salles une à une, prenant congé des
locataires de la maison. Cela lui semblait si invraisemblable
d'avoir été cet homme fini qui traînait ses pieds fatigués et qui
souffrait d'une peine profonde, quelques mois auparavant. Il était
maintenant ce bel homme dans la quarantaine qui s'en allait refaire
sa vie. Était-il guéri ? Cela n'avait pas d'importance. Il avait dans
sa poche l'ordonnance et les recommandations du médecin pour
pouvoir vivre parmi les gens normaux.

  Il sortit dans la rue avec un sourire qui n'appartenait pas à son
visage. Il sentit l'air frais et humide du petit matin. Une voiture
l'attendait, qui s'engagea sur l'autoroute et se dirigea vers le centre
de la ville. Elle filait en bordure de la côte et il se réjouit de voir
les plages, la mer, les vagues. Il passa dans les grandes avenues
en regardant les édifices, les parcs. À moitié endormis, les citadins
s'en allaient travailler ou se trouver du travail, entassés dans les
minibus et les autobus.

  Maintenant, plus rien ne le rattachait à cette terre qui l'avait
tant aimé et, en même temps, haï au point de le tuer ou presque.

Qui jamais ne l'avait écouté, qui jamais ne lui avait donné sa chance, ni d'amour ni de temps pour rire.

Désormais, il vivrait réellement. Il commencerait par découvrir les villes merveilleuses que le Colorado lui avait décrites dans ses lettres. Avant de partir, il se rendit au *barrio*. Il avait besoin de le revoir. Lorsqu'il arriva, il resta un long moment à la porte de la vieille maison. Il n'entra pas. Il vit juste le bois pourri, la fenêtre par laquelle sa mère regardait les gens passer, sur laquelle son vieux frappait doucement pour qu'elle lui ouvre quand il arrivait à l'aube, un peu pompette. La poussière déposée sur la maison révélait le passage du temps. Il s'assit ensuite au coin de la rue, au pied d'un poteau. Les voisins qui passaient le regardaient. L'un d'eux le reconnut et eut peur. Les gens le craignaient encore. D'après la rumeur populaire, il était allé au diable, il était devenu fou.

Il se rendit au marché et comprit alors pourquoi il était revenu. C'était pour faire ses adieux, car il savait qu'il ne reverrait plus les rues de sable, les enfants jouant dans le parc, les meutes de chiens errants, le soleil d'après-midi reflété dans les îles, là-bas, à l'horizon, et la mer bleue, immense. Son passé refit surface dans sa mémoire, les beaux visages de ses amis décédés et l'immense désert. Il se mit à pleurer, il enlaçait toutes les personnes qu'il rencontrait. Quelques-uns riaient, d'autres paniquaient. Il tentait de parler, de leur raconter ce qu'il ressentait, mais les mots se bousculaient dans sa bouche et il ne réussissait qu'à dire des choses inintelligibles, des grognements, des balbutiements. Finalement, le cœur serré, il se dirigea vers l'aéroport. Il entra dans la zone internationale, montra ses documents, tout se déroula à merveille, le nouveau passeport en règle, le visa, le billet, parfaitement légaux. Le Colorado et Ángela avaient agi comme il se devait, accomplissant leurs promesses avant de briser la bulle d'amour qu'ils s'étaient construite et de retourner à la routine de leur vie, à leurs enfants et à leur conjoint respectif. Il leur avait été difficile de se rendre compte qu'ils ne seraient pas capables de tout risquer pour rien, pour une illusion vaine et éthérée. Ángel réserva un siège au bord de la rangée afin de pouvoir aller aux toilettes quand il le voudrait, puis il se rendit au guichet, paya la taxe de sortie, changea ses derniers billets nationaux pour des dollars américains et entra dans la salle d'embarquement, s'y assoyant avec l'assurance que lui procurait son billet de première classe. Le personnel était si aimable qu'il en avait été un peu choqué au début, car il était accoutumé au traitement sec et agressif de la maison de repos.

L'avion qui l'emporterait vers la réalisation de ses rêves l'attendait sur la piste. Il n'avait aucun bagage, seulement le manuscrit du roman du Colorado et son journal, c'était tout ce qu'il lui restait de sa vie. Des mots.

Lorsqu'il ressentit le vide créé dans son estomac par l'appareil en train de s'élever dans les airs et qu'il aperçut le soleil éclatant qui filtrait par le petit hublot, il se dit : « Adieu, pays de fous. À plus jamais… »

Villa el Salvador, Arequipa, Montréal, Miami, La Havane
Avril 2005

ACHEVÉ D'IMPRIMER
EN OCTOBRE 2011
SUR LES PRESSES DE MARQUIS IMPRIMEUR INC.
SUR PAPIER SILVA ENVIRO
100% POSTCONSOMMATION